DOÑA GUIOMAR

Doña Guiomar

TIEMPOS DE LA CONQUISTA

(1536-1548)

NOVELA HISTORICA

POR

EMILIO BACARDI MOREAU

REIMPRESO POR AMALIA BACARDI

En esta edición solo se han corregido las erratas.

Library of Congress Catalog Card Number:

73-128477

Printed in the United States of America

EMILIO BACARDI Y MOREAU (1844-1922)

Designado Alcalde de Santiago de Cuba el 1898 por el Gobierno Interventor, Alcalde el 1901 por elección popular, Senador de la República el 1905. Miembro de la Academia de la Historia y de la Academia Nacional de Artes y Letras.

Es cierto, como dijo el 10 de Octubre de 1926 en la Academia de la Historia, en su discurso sobre Emilio Bacardí y Moreau, el Dr. Tomás Justiz y del Valle, que: "la figura de Emilio Bacardí y Moreau parece esfumarse en el recuerdo de los que hicieron patria, por el nombre universal que logró como industrial..." Se olvida, y acaso lo ignora el 1970 la presente generación de cubanos jóvenes en el destierro, que Emilio Bacardí fue, por encima de todo, un gran patriota, un político de honradez acrisolada y un escritor que dejó a la literatura nacional el legado de una obra considerable.

Pero la vida fecunda y ejemplar que en sus múltiples aspectos ofrece a la estimación de sus conciudadanos este luchador por la libertad de su país durante las guerras de Independencia, la labor desinteresada que en la paz, e infatigablemente hasta su muerte, realizó a favor de su ciudad natal y de la cultura nacional, no pueden relatarse en el espacio limitado que impone esta nota. Bastará decir que Emilio Bacardí se cuenta entre las personalidades más respetables de la generación del 68.

Sus libros se hallan desde hace años agotados. Su hija Amalia Bacardí Cape inicia, con la reimpresión de dos de sus novelas, Via Crucis y Doña Guiomar, las de sus obras completas. A éstas seguirán los diez tomos de las Crónicas de Santiago de Cuba, recopiladas por Bacardí, valiosa contribución a la historia de Cuba, y otras que vieron la luz antes y después de la muerte de su autor. Desgraciadamente su obra inédita se perdió el 1960.

BIBLIOGRAFIA

Historia:

Crónicas de Santiago de Cuba recopiladas por Emilio Bacardí y Moreau.
T.1- y 2- Tip. de Carbonell y Esteva, Barcelona, España, 1908-1909.
T.3- Tip. de B. Bauza, Barcelona, España, 1913. En 4- ilustraciones, grabados y retratos.

Crónicas de Santiago de Cuba recopiladas por Emilio Bacardí y Moreau.
10 volúmenes, ilustraciones, retratos, grabados, música. 25 cm.
Vols. 1-3 (reimpresión) 1925.
Vols. 4-6, 1923 y 7-10, 1924. Revisadas, corregidas y ampliadas por Manuel A. Barrera y García. Aunque los tres primeros volúmenes dicen "reimpresión", en nota aparte se especifica que tambien han sido revisados y aumentados.

Memoria sobre la conveniencia de reservar para las mujeres ciertos trabajos.
(Premiada por el Liceo de Puerto Príncipe en 1867.)
Lo cita Calcagno y Trelles.

El Denunciante de Pintó. (Carta abierta.)
Revista Bimestre Cubana. Vol. VI, Núm. 4, Julio-Agosto 1911, p. 313-314.

De Cuba a Chafarinas. (Fragmentos) Santiago de Cuba, 1910.
Reproducido en Imprenta "Renacimiento", 1953. 30 p. (Biblioteca de "El cubano libre, vol. 1).
Fragmento escrito del 29 de octubre de 1896 a enero de 1897.

Biografías:

El Dr. Francisco Antommarchi. Sus Días en Cuba. Cuba Contemporánea. Vol. IV, 1914, p. 256-269.

Florencio Villanova y Pío Rosado, 1854-1880. Notas históricas rápidas.
La Habana, Imp. El Siglo XX, 1920. 160 p. retratos, 21 cm.

La Condensa de Merlin. (Mercedes Santa Cruz y Cárdenas). Santiago de Cuba, Tip. Arroyo Hnos. 1924. Retrato. 93 p. A la cabeza del título: Biblioteca Oriente. "Emilio Bacardí y Moreau", p. 5-23, firmado Armando Layva.
Discurso leído el día 3 de marzo de 1920 para su ingreso como miembro correspondiente, en la Academia Nacional de Artes y Letras, Habana.

Novelas:

Vía Crucis. Páginas de Ayer. Santiago de Cuba, Imp. El Cubano Libre, 1910. En 8-, 263 p.
Novela histórica que se desarrolla en el decenio revolucionario de 1868-1878. Prólogo de Joaquín Navarro Riera, (Ducazcal, pseudónimo).

Vía Crucis. 1- parte, Páginas de Ayer. 2- parte, Magdalena. Barcelona, España, Imp. Vda. de Tasso, 1914, 475 p. En la portada dice 2- ed. Santiago de Cuba, 1914.
Los capítulos V y X están reproducidos en la obra de José Manuel Carbonell y Rivero, Evolución de la Cultura Cubana (1608-1927) Vol. XIII, Tomo II. La Prosa en Cuba (Novelas, Cuentos, Leyendas) p. 55-65. La Habana, Imp. Montalvo y Cárdenas, 1928.

Doña Guiomar; tiempos de la conquista, 1536-1548; novela histórica. Habana, Imp. El Siglo XX de A. Miranda, 1916-1917, 2 v. en 8-.
Fragmentos de la novela publicados en Cuba Contemporánea, Tomo XI, 1916, p. 344-353.

Cuentos:

Cuentos de todas las noches. La Habana, Cuba, Ucar, García, S.A. 1950, ilustraciones, 51 p.

Teatro:

Al Abismo. Drama de tendencias sociales en tres actos, estrenado en el teatro Oriente de Santiago de Cuba en 1912, por la Compañía de Virginia Fábregas y publicado póstumamente en Cuba Contemporánea. Tomo XXXIX, 1925, p. 27-88.

Viajes:

Hacia Tierras viejas; notas e impresiones de viaje, Valencia, España, F. Sempere y Cia. (1913) 157 p.

Inéditos:

El Dr. de Beaulie. Novela de ambiente cubano e inspiración patriótica.

Filigrana. Novela al modo de *Cecilia Valdés o La Loma del Angel,* de Cirilo Villaverde.

La Hija de Hatuey. Novela escrita antes de 1868 según Carlos Manuel Trelles y Govín.

Casada, Virgen y Mártir. Teatro.

La Vida. Teatro.

"Estas cosas y muchas otras, que hacen temblar a la humanidad, yo las he visto por mis propios ojos, y apenas me atrevo a contarlas, deseando yo mismo no creerlas, y figurándome que todo fué un sueño."

FRAY BARTOLOMÉ DE LAS CASAS.

"Ce livre que je viens d'ecrire n'a pas ete ecrit par moi."

«L'INOUI».—X. X. X.

A guisa de prólogo

Lector amigo:

Traerte la memoria del pasado en forma de novela, ponerte de relieve los personajes tales como fueron en realidad, repitiendo sus palabras y sus gestos, es obra de historia también.

Y es, al mismo tiempo, obra de enseñanza, si, al referirte los sucesos, nos ajustamos a ellos como ocurrieron en su época; y será nuestro empeño asaz apreciado por ti, si, al dar forma literaria a los acontecimientos, los engalanamos con alguna ficción que les preste la amenidad que les falta, a veces, en ciertas páginas de la historia patria, por la escueta aridez de la versión.

Hacer que conozcas aquellos tiempos de turbulencias y de crueldades; averiguar contigo lo que fué aquella turbamulta de aventureros, quienes, por la cruz y por la espada, exterminaban a mansalva, como cosa natural, a una raza buena e infeliz, y llevarte a la intimidad de individuos que tuvieron su importancia entonces, es prepararte para juzgar imparcialmente y sin prejuicios los hechos y los hombres—soldados y clérigos—que fueron los primeros dominadores de la isla de Cuba.

Si hubo mucha maldad, hubo bastante bondad también: conocer la una y distinguir la otra es, pues, hacer una obra de justicia.

Y, daráse por satisfecho el autor, si, al llegar tú a la última página de su libro, aunque asqueado, exclamas como exclamó él, a su vez, después de escudriñar los archivos: "He vivido en aquella época".

Carta abierta

Señor don Fernando de Ortiz:

Doctor en Leyes,

La Vana, puerto de Carenas.

Señor y amigo don Fernando:

Sucede a veces, amigo don Fernando, que la Historia es antojadiza, como hembra al fin, y deja, con gran indiferencia, al parecer, correr años tras años, sin placerle rasgar el velo con que viene encubriendo cierta parte de sus páginas, y calla, más y mejor, si esa parte oculta se relaciona con algún asunto limitado a interés particular, y si esto resulta consecutivamente cuando a varón concierne, ¿cómo no habrá de acontecer con más razón cuando de lo que se trata ha de referirse a una hembra?

A vuesa merced, que se siente encariñado con cosas añejas, e incansable revuelve cielos y tierra para allegar una noticia, sin provecho para el vulgo, dirijo este papel, ya que un alma piadosa ha querido hacer a los presentes relación de lo que fuí, sacándome del olvido.

¡Tantas cosas se dijeron de mí, que no por ser embustero artificio dejan de ser estupenda novedad!

La calumnia que, antaño como ogaño, sabe cebarse con complacencia en aquellos que no le facilitaron camino para dañar, creyó que con haberme pintado como no fuí, hiriendo mi honra con pluma puntiaguda por deseos que hubieron de refrenarse por mi tenaz resistencia, dejaba manchada en papeles mi memoria con una maldad eterna; pero se olvidó de que, a pesar de las maledicencias con que falsamente se adorna a la historia, hay verdaderos investigadores, como vuesa merced, quien, llegado el día, desentrañan la impostura, con una criba separan el grano de la paja, y regalan el oído del lector con narraciones que se creerían leyendas si no fueran de comprobada veracidad.

Vuesa merced asaz sabe lo que a mí me pasó y de lo que de mí se quería; supe defenderme, y esto fué mi verdadero pecado.

Y, después de todo, si no hubo en mí cuidado bastante para que mi lengua, suelta en demasía, supiera contenerse dentro de un límite de cortesanía, y midiese su discurso a tenor de mi conducta, no me hagáis a mí única responsable, que la crudeza de lenguaje se debe a la crudeza de costumbres, que era lo que por erudición y doctrina se entendía en aquel presidio, y bien sabe vuesa merced cómo no valieron halagos para vencerme, ni hubo prenda que me domeñara, y por esa conducta obtuve la consideración de los honrados, el amor de los débiles y la persecución de los que se decían grandes.

Es peligro evidente para la reputación encubrir

la virtud con la belleza, y, si conservé la una y tuve la otra, ¿a qué se me ha de culpar?

Si naturaleza me colmó con sus galas y dióme, a pesar del clima, rosas en las mejillas, luz en los ojos, negrura en el cabello, y simpatías por mi cuerpo bien formado, llevadero tras sí de miradas codiciosas, ¿por qué la culpa ha de ser mía, amigo y señor don Fernando?

Era yo poca cosa para remediar el mal que por ello se me achacaba, fuera de que (¿por qué no confesarlo?) me halagaba, y es esto cosa natural en el corazón de la mujer, que se me dijera bella y que yo lo sintiera así; que se me florease siempre, y este pecado venial, ¿no vale un perdón de mortal pecado, si lo hubiera cometido, el haber atravesado aquellos tiempos de maldad declarada, sin mancha en la conciencia ni remordimiento en el corazón, dejando la ciudad querida para venir a la de Carenas, traída por la mano de un esposo digno, el señor Gobernador?

Y si se me acusó de hechicería (¡válgame Dios!) porque indio hubo que me enseñó la bondad de ciertas plantas, y con ellas alivié al que padecía, contra la ignorancia de un físico, ¿es de culpárseme porque hubo en mí caridad?

¿Y si allá en Sevilla, donde nací, mi madre fué a hurtadillas amiga de una familia sin méritos para ser cristianos viejos, descendientes de judíos, pero, como mi madre, buenos, y con recursos bastantes para aliviar la desesperada pobreza cuando a ella se acudía, y si esta caridad repetida dióme libertad de pensar que no los más cristianos son los más buenos, y que Dios tiene que estar con los mejores, qué culpa he de tener si, huyendo de las iglesias, oscuras y nauseabundas, iba a cumplir con Nuestro Señor Jesucristo, según mi pensamiento, haciendo el bien por Él ordenado, sin mirar a quién, y creyendo que una desgracia aliviada nos vale más, ante el Señor, que una oración acostumbrada?

Júzgueme, mi buen amigo, viéndome por los cristales de la imparcialidad, y sepa vuesa merced que fuí bella y fuí honrada. ¿Y no son estas cualidades méritos suficientes para que se me recuerde con cariño, hoy, en la tierra en que dejé mis huesos y anda vagando mi alma?

Disimulad mi natural desenfado pintado en este papel, que si no es fácil trocar la naturaleza de las cosas, cuánto más difícil es aún variar la de las personas, y no habiendo en mis razonamientos ni maldad ni agravio, habréis de perdonarme, permitiendo bese las manos de vuesa merced vuestra servidora y amiga

GUIOMAR DE PAZ.

I

—¿A dó va, Perete, con tanta priesa?

—A llevar órdenes—contestó a la pregunta, sin detener su rápido andar, el soldado interpelado, llevando las manos, juntas y ahuecadas, a la boca, como un portavoz, con lo que daba misterio a la respuesta.

E iba efectivamente de prisa, camino de la residencia del Gobernador don Gonzalo de Guzmán. Acababa éste de despertar de la siesta, y, sin más ropas que una simple bata de zaraza, fumaba, tirado en una hamaca, un tabaco largo y delgado, cuya especial confección era privilegio del indio Anasca, residente en Manzanillo.

—¿Da vuesa merced su venia, señor Gobernador?—inquirió el soldado apenas traspasó el postigo de la Atalaya.

—Perete, adelante. ¿Qué te pasa?

—Señor Gobernador, al pasar por la Catedral, fuí llamado por el sacristán, quien, puestas las manos en la cabeza, me dijo: "¡Corred, Perete, por la mayor gloria de Dios y de nuestra Santa Madre la Iglesia, y contad a su merced, el señor Gobernador, lo que habéis visto y oído!" ¡Señor Santo

Dios! El obispo Sarmiento y el abad, fray Miguel Ramírez, se están arrancando las greñas en la misma iglesia y... ¡qué palabrotas, señor!

—¡Válgame Dios con estos malditos frailes! A ver, Gutiérrez, traedme los gregüescos y la ropilla.—Y ayudado por el asistente, se vistió con suma rapidez, llevó a la cabeza una especie de casquete, empuñó el bastón y dirigióse a la Catedral.

Algunos soldados y algún indio estaban detenidos a la puerta del templo escuchando los denuestos que se propinaban los dos sacerdotes. Al ver a la autoridad que llegaba, desapareció en seguida el grupo de curiosos, y el Gobernador, sin reparar en el servil saludo del sacristán, sin destocarse, entró en el templo, y lleno de coraje, dando con el bastón en el suelo, les increpó a voz en cuello.

—Ea! Señores clérigos, ¿qué poca vergüenza es ésta, que ni la casa del Señor respetáis? ¿Es este el buen ejemplo para indios y negros? ¿Es esto ejemplar para este presidio? ¿Qué os figuráis, eh?

El abad Ramírez se repuso y soltó al obispo, a quien tenía agarrado por la hopa, en tanto que el obispo, tratando de pegarle con el bordón, lo llenaba de insultos llamándole blasfemo, jugador y amancebado.

El obispo Sarmiento, colérico y violento, al sentirse suelto, dióle a fray Ramírez con el bordón en la cabeza, y dirigiéndose altaneramente al Gobernador, le dijo: —¿Quién sois vos para increparme en este sagrario? ¡Aquí no hay más jerarquía que la del Obispo!—Y el Obispo se crecía al decir esto.—¡ Y hay que hacer que entren por la obediencia los que campan por sus osadías!

—¡ Señor Sarmiento, señor Sarmiento!... Vos y los vuestros me tenéis emponzoñado con vuestras discordias!... La plaza está perdida con vuestros escándalos!... Sois... un solemne majadero, lleno de presunción y orgullo! ¿Sois el superior? —y con tono de mofa continuó—¡ Vaya un superior incapaz de respetarse a sí mismo! Fray Miguel Ramírez, id a esperarme a la Atalaya, y vos..., señor Sarmiento, moderaos un tanto..., que de no, os moderaré yo!

Bajó la cabeza Ramírez, y sin replicar palabra alguna, salió a cumplimentar la orden recibida.

Sarmiento bufó: —Señor Gobernador, a mí no se me doblega; conmigo no podéis ni vos ni nadie! ¡ Harto lo sabéis!

—¡ Eso veremos, seor Diego Sarmiento! Que de vuestra conducta tengo dada ya buena cuenta a mi señor el Rey, y le son también conocidos a la Real Chancillería el desorden y la corrupción con que tienen perdido este presidio el señor Obispo y sus secuaces. No en vano de la Real Audiencia de la Española llegan amonestaciones sobre amonestaciones... Pero, ¡ vaya, vaya!

La réplica y oposición del Obispo a la intervención del Gobernador hicieron a éste entrar en el Fuerte del Adelantado en un estado de ánimo violentísimo. Allí se encontraba, sentado en el cuerpo de guardia, a la rústica entrada, fray Miguel Ramírez, aguardando al Gobernador, sin acertar qué enmienda podría tener el conflicto, ni qué solución habría de dar a la riña que presenciara. Confesábase a sí mismo que habían llevado demasiado lejos sus discordias, y, no dudó, por un momento, de que la autoridad tomaría enérgicas disposiciones que no favorecerían a ninguno de los contendientes.

—Fray Ramírez—le dijo bruscamente el Gobernador al pisar los umbrales del fuerte—habéis faltado a vuestro superior, y, aun teniendo la razón, la habéis perdido. Harto ya de vosotros, he de poner coto a vuestros desmanes que llenan de quebraderos a este presidio. Aquí habréis de permanecer en tanto venga la nao que se aguarda de la Española; embarcaréis para ella o para Tierra-Firme, como mejor os plazca, y de mi resolución daré buena cuenta...

—Señor Gobernador—con voz meliflua y suave le interrumpió fray Ramírez—No podéis hacer eso.

—¿Qué decís?

—Los cánones os impiden...

—¡No hay cánones que valgan!—alardeó Guzmán rabiosamente.—En este momento no hay Iglesia que respetar ni clérigo que sufrir. ¿Si no veneráis la casa del Señor, qué respeto se os habrá de tener? ¡Hasta a los mismos soldados tenéis cansados con vuestra indisciplina... !

—No podéis mandarme, señor Gobernador...

El Gobernador, repartidor de indios de la isla Fernandina del mar Océano, llamada Cuba, don Gonzalo Nuño de Guzmán, además de valor personal, poseía toda la rudeza y acometividad del soldado, y hostigado por las órdenes repetidas que le traía cada nao, ya de la Española o ya de la Real Chancillería, estaba resuelto a abandonar el camino de las contemplaciones seguido hasta entonces, y su ánimo, bien preparado, desbordóse en aquel momento preciso.

Paseábase con enojo respondiendo a los reparos del fraile, cuando, a la última frase de éste, detúvose de repente, y revolviéndose con ira, le gritó:

—Os mandaré, e iréis. Si no váis por vuestros pies, iréis en quitanda...!

—No podéis mandarme, señor Gobernador... Os equivocáis otra vez. No tenéis jurisdicción sobre mí...

—¡Porra! ¡Hola, alférez de guardia!—exclamó el Gobernador con vozarrón que hizo temblar a los subalternos que le escuchaban.—Llevaos a Fray Ramírez hacia dentro, y, hasta nueva orden, bajo vuestra más estrecha responsabilidad, que no salga del fuerte. Si tiene algo que mandar, que vengan acá los que él quiera ver. ¡Ni un solo paso fuera del postigo! ¡Entendedlo bien!

Fray Miguel permaneció impávido e indiferente al mandato imperativo, y el alférez, llegándose a él, le dijo respetuosamente: —Señor, cumplid la orden y seguidme hacia el interior.

—No me muevo de aquí—murmuró con pasiva resistencia el fraile.

—¡Alférez, llevadlo si no quiere andar!—agregó,

rojo de cólera, el Gobernador, dando fuerte bastonazo en el piso.

Al acercarse el alférez para intimar de nuevo la orden, exclamó el fraile, a su vez: —¡Como me toquéis, pena de excomunión mayor y entrega al Santo Oficio!

Soltó una carcajada el Gobernador, y le encareció al alférez: —Tomadlo por un brazo; familiar también soy yo de la Santa Inquisición. ¡Fray Miguel, dejaos de majaderías, que obediencia se la debéis, y grande, a Su Majestad, y aquí represento yo al Rey nuestro Señor! ¡Llevadlo, yo lo mando!

La rudeza del soldado y la disciplina vencieron. El alférez le tomó por un brazo, le alzó del asiento, y le dijo en voz baja: —Fray Miguel, hacedlo por mí.—Y continuó más bajo todavía.—Conocéis la cólera del Gobernador. Nada ganáis con un atropello.

Doblegado el fraile, dejóse llevar; llegaron a un patiecillo, introdújolo el soldado en un cuartucho, le indicó que se sentara en un escabel, y allí, el alférez, besándole la mano, le dijo: —¡Perdóneme, padre!

—Andad, hijo, que ni la Iglesia ni yo os culpamos!

Volvió las espaldas Guzmán al fraile, y al llegar a la puerta barbacana del castillo Atalaya, con el mismo vozarrón colérico, gritóle de nuevo:

—¡Ca...! ¡Os habré de enseñar, seores frailes, que la obediencia al que representa a Su Majestad el Rey, es obediencia a Su Majestad el Rey mismo, y que no hemos venido a perder este reino de Fernandina, sino a conservarlo y a hacerlo prosperar, como leales súbditos de Su Majestad; sabedlo y entendedlo así por vez postrera.—Y moviendo la cabeza con ira, agregó:—Ah! ya me arreglaré yo para arreglaros a ambos. ¡Con que me desafiáis, so blasfemos! ¡Pues veremos quién manda a quién! Y tiró el portón con tan violento golpe, que hizo temblar la flaca pared en que estaba empotrado.

A Perete, correveidile del presidio, después de haber presenciado la escena de la Catedral, faltóle tiempo para correr a casa de doña Guiomar y darle cuenta de lo sucedido.

Cual un torrente se precipitó en la casa, y, tan presuroso andaba, que hubo de gritarle la dueña, acompañando sus palabras con ruidosa carcajada: —Eh! Perete, ¿qué te pasa, villano?

Descubierta la cabeza, con la mugrienta gorra en la mano, detenido en actitud de gran respeto, cruzados los brazos, tuvo la señora que dar lugar a que Perete se repusiera de la sofocación contraída en la carrera emprendida para llevar, antes que nadie, a doña Guiomar, la noticia de lo sucedido.

—Aguardad para hablar, bandido, a que podáis hacerlo.—Y dando unas palmadas, gritó:—Rosario, tráete un poco de anisado.—Y casi al instante apareció una indiecita con un corpiño y una falda de zaraza, no muy nuevos y de florones; la falda le bajaba hasta poco más de las rodillas; sus cabellos, recios y negros, estaban cortados a grandes tijeretazos; tenía los ojos muy abiertos, la faz velada por un aire triste, y desnudos piernas y pies, y traía un frasquete de vidrio azulnegro y una escudilla desbocada, en cada una mano.

—Anda, indica—exclamó la señora con bondad, y tomando la botella escanció un tanto de aguardiente anisado en la escudilla.—Anda, dale—agregó señalando a Perete, y tenía que hablar así, con señas, a la india, y por palabras sueltas, para que aquella criatura pudiera comprenderla e irse poniendo al tanto de los quehaceres de la casa, a los cuales la destinaba.

De un sorbo tragó Perete el líquido, con el revés de una mano, tras la otra, se limpió los labios, después de habérselos relamido, y con una especie de bufido de satisfacción, púsose a referir cuanto había presenciado: la cólera del señor Gobernador, la pelea del señor obispo Sarmiento con el otro fraile, la detención de fray Miguel Ramírez en la Atalaya, y las amenazas y las órdenes de Guzmán.

Grande alegría causaron a doña Guiomar las palabras de Perete, pues las exclamaciones de: —¡ Vaya! — ¡ Qué tíos! — ¡ Cuenta, Perete! — ¡ Valientes porcazos!—se sucedían en la boca de la buena señora, con tanto estrépito, que hubo de apretarse con ambas manos su redondeado vientre, de buenas carnes, para contener sus ondulaciones, tal y tanto imperio iba ejerciendo en ella la sensacional relación.

Sin poder más, dejóse caer en una butaca de cuero crudo, y sus carcajadas repercutieron durante mucho tiempo, aun después de haber despedido al soldado, y continuó desternillándose de risa, oyéndosele escapar como a borbotones, cuanto se lo permitía la ruidosa carcajada: —¡Qué par de pocas vergüenzas! ¡Qué curianas! ¡Qué par de sotanas!

II

De estatura regular, más bien alta que baja, era doña Guiomar de Paz una agradable y simpática mujer, hija de la alegre Andalucía. El óvalo de su rostro ostentaba, como dos hogueras chispeantes, unos ojos aterciopelados, defendidos por largas pestañas, atenuadoras de sus fulgores, y, para realzarlos mejor, cercados ambos por ojeras traicioneras, que prestaban mayor brillo a los reflejos de su fascinadora mirada. La nariz era corta y algo gruesa, sin estorbar con su galana forma a unos labios carnosos, mantenidos siempre rojos a fuerza de morderlos, tentadores de mayores maldades por la juguetona sonrisa que permitía admirar una dentadura igual a cuajadas gotas de rocío. La cara remataba en una barba pequeña, nido de un hoyuelo de misteriosas promesas, y largas ajorcas de oro, con piedras rojas engarzadas, quizás rubíes, completaban aquel semblante de verdadera tentación. Su color moreno pálido, encuadrado por la negra cabellera suelta que caía en cascada sobre las espaldas, tenía transparencias especiales, y una cinta de regencia colorada, sujetando las guedejas para que no se les vinieran a la frente, imprimía cierta majestad a la cabeza aquella, como si estuviera ornada por una diadema de corales.

Sus carnes, por la escasez de ropas, fuese ello por el excesivo calor o por libre coquetería, se modelaban perfectamente bajo la saya de zaraza de pintados florones y pajarracos que malamente cubría sus correctas líneas, y dos piececitos, sin medias, encerrados en unos zapatitos de tela gris, que fué tal vez resto de vela de alguna nao, eran espoleadores de curiosidad en sus envidiadas tertulias, en las que hábilmente sabía doña Guiomar dejar ver algo más que aquellos piececitos atormentadores de sus contertulios.

Una camisa adornada con visillos de ordinario bordado fatigaba las miradas en las recepciones. Había avidez de traspasar las rejillas del burdo encaje por entre cuyos calados se atisbaba el sonrosado color de carne de dos abultados senos, que se conservaban mórbidos, a pesar de la madurez de la dueña, y, desvergonzados y atrevidos a veces, manteníanse erectos y como rebeldes a las telas que los cubrían y aprisionaban.

Doña Guiomar conocía sus encantos y los hacía valer. Defendía valerosamente su viudez, que databa de dos años, época en que había fallecido su esposo, el tesorero Pedro de Paz, dejándola libertad, fortuna y encomienda de indios. Tras pertinaz asedio, en los primeros tiempos, de un enjambre de famélicos, codiciosos de sus dineros o codiciosos de sus formas, como repetía ella, vino una época de calma, debida a una total derrota de sus conquistadores. El afán de vencerla y corromperla se transformó en asiduidad de tertulianos, y aun de comensales, que hallaban entonces, según confesaban después, sin empacho, franca y lealmente, reunión agradable y entretenida en casa de doña Guiomar, para matar las largas horas, pesadas, húmedas y calurosas, del presidio de Santiago de la Fernandina. Los días eran insoportables y se sucedían con incansable monotonía, llenos de tedio, de jejenes, de chismes, de disputas, de maledicencia y de un sordo rencor que cada uno de aquellos habitantes alimentaba, en su fuero interno, contra cada otro de los demás.

Era doña Guiomar de carácter bullanguero y decidor, almacén de chistes y cuentos, y dominadora, como reina y señora, en la ciudad recienfundada. Su imperio era absoluto, aunque tenía por contrarios, por motivos privados, al Obispo y a alguna otra autoridad que juzgaban su conducta de demasiado libre. Quizás había en la inquina contra ella manifiesta calumnia, y el juicio que se emitía tomaba visos de evidente despecho por no haber logrado, los murmuradores, sus favores íntimos, cosa que en un principio creyóse cosa fácil y asequible. Los que venían ejerciendo autoridad eclesiástica, civil o militar, se resintieron de la derrota, y no se la perdonaron, y fueron los más porfiados voceros en mancharla y despreciarla. A pesar de ello, continuó siendo respetada, y hasta temida, por la turbamulta, chusma de la población, para la cual la simpatía grande de sus amigos, convertida en culto, era efecto de las hechicerías y de sus poderes ocultos sobre los hombres, y crecía indefinidamente esa idea al notarse que, en vez de disminuir, aumentaba hacia ella esa especie de idolatría que experimentaban los que a su lado se placían en su amena conversación: su tema favorito eran las remembranzas de la patria lejana, referidas por doña Guiomar con voz armoniosa y apasionada.

En alguna de las fiestas de tabla de la ciudad embrionaria, más en las vísperas que en los días, buscaba, que sí los había, algún soldado guitarrista para solemnizar la fiesta. No faltó quien, en la estrechez de las tablas de la barca que lo trajo a la Fernandina, supiera acomodar el instrumento querido que había de disipar las melancolías de los días y de las noches eternos de viaje, y esa guitarra era la orquesta que, en esas vísperas de desbordante jolgorio, dejaba escapar sus notas por entre la arboleda cerrada y tupida, a trozos, de monte virgen, acompañando la voz de doña Guiomar, de simpático timbre y vibrante de emoción, que, al elevarse como cantar de ave desconocida, al espacio infinito, azul y claro, rutilante de estrellas, se perdía y confundía melancólicamente en la atmósfera con el rumor del terral, con el acento lastimero de alguna tórtola o el apagado choque de la ola moribunda al besar los mangles que bordeaban la bahía.

Era un jueves por la noche; corría el mes de junio, época de árboles y matorrales con exceso de verdor. Una espléndida luna llena servía al patio-salón de lámpara colosal; una brisa suave y fresca, levantada a poco de puesto el Sol, permitía respirar con satisfacción.

La hermosa luna tropical había ido elevándose con lenta majestad tras las cumbres lejanas de las montañas; su brillantez contrastaba con las masas sombrías de los árboles, y con la oscuridad de los vericuetos que servían de calles y de las cañadas, en cuyo fondo, y sobre arcilla mojada y piedras húmedas, se dibujaban hilos de plata como sierpecillas escapadas de las entreabiertas grietas de la tierra. Los reflejos de la gran luminaria sobre los puntos salientes de la selvática naturaleza hacían más profundas las ocultas sinuosidades.

Era una claridad azulosa de armónica tenuidad. Al posarse en los cupeyes y en los cedros tomaba tinte verdoso; se irisaba en plata si esparcía su luz por la quieta planicie del mar, y cambiábase en grandes manchones, ya grises, ya parduscos, si se dejaba caer en los huecos chapeados que formaban calles, plazoletas o patios de las casas.

El patio de doña Guiomar de Paz estaba preparado para la acostumbrada tertulia, con más cuidado aquel día que en los anteriores.

Dos indios, encomendados suyos, apisonaron el suelo a fuerza de pasarle ramas de las palmas reales agrupadas junto a la habitación principal, árboles más altivos que la misma ceiba y la gigantesca caoba, y cuyas coronas, después de gotear y brindar sus semillas a gruñidores gorrinos, siempre hambrientos alrededor de los troncos, se deleitaban con el cimbrear de sus penachos, estremeciéndose como con nueva vida al menor soplo de cualquier viento.

Ramos de guayabos, de anones y de algún arbusto humilde, cayeron al filo de un trozo de sable, para facilitar el acceso a los visitantes, dar amplitud al lugar y hacer más cómoda la estancia.

Tosca mesa fué colocada al pie de coposo mamoncillo, cuyo hermoso follaje, que servía de toldo natural, hacía oscilar los rayos lumínicos al pasar éstos a través de las movedizas ramas, y la claridad filtrada por entre las hojas era nuevo encanto para las mejillas y los labios de la dueña de la casa, haciéndola más seductora al destello de sus zarcillos de oro, y prestando a su risa mayor encanto, cuando se la oía resonar en aquella semipenumbra de la noche.

Vino de Málaga, encerrado en tres botellas recostadas en una gran jigüera, llena de agua, para mantenerlo fresco, esperaba a los comensales, acompañado de cuatro vasos de vidrio, cosa de gran lujo, y agregados a éstos, unas seis escudillas de barro oscuro, de un vidriado verdiamarillo, especie de jícaras que, a falta de otras vasijas, servía para escanciar el zumo estimulante de la uva.

En un plato de barro, vidriado también, había tabaco picado para las cachimbas, y una docena de tabacos, más o menos largos, apretados y delgados.

Retozábanle a doña Guiomar las carnes de alegría, y con el retozo la risa, que, desde la relación de Perete, parecía cosquillearle alma y cuerpo.

A brincos, como una chicuela, corría de la casa al patio, detenía a la indiecita Rosario, interrumpiéndola en sus quehaceres, la asombraba cogiéndola por ambos brazos, apretándoselos, sacudiéndola, mirándola de hito en hito, y sin tratar de que la comprendiese, reía desternillada: —¿Has visto, chiquilla, qué paso el de esos marranos? ¡Ja, ja, ja!—Y volvía a tirarse en la butaca sin poder tranquilizarse e impaciente porque llegara de priesa la hora tan deseada.

Suponía, y suponía bien, que no había de faltar casi ninguno de sus amigos; todos conocían lo sucedido, y todos anhelaban también la hora tertuliana para saborear con creces, y regocijarse, escuchando de los labios de doña Guiomar, acompañada de su sonrisa cautivadora y del chiste salpimentado, la relación de la riña de ambos frailes. En la hembra andaluza sobraba travesura para lanzar retruécanos, que sabía encontrar rápidos y oportunos, picarescos a ratos, y de tonos subidos y libertinos, con toda la crudeza de la palabra, más o menos grosera, de naturalidad realista, aplicando a cada cosa su nombre vulgar y propio, como eran desenfadados, libres y groseros los primeros extranjeros habitantes de la tierra en que fué fundada la ciudad de Santiago de Cuba por el adelantado don Diego Velázquez de Cuéllar.

Además de la Luna, única linterna bastante para iluminar a la reunión, una descomunal candileja de bronce, traída de Castilla, con cuatro picos atiborrados de mechas y aceite, colgada de un clavo fijado en el tronco del mamoncillo, trataba de esparcir alguna claridad, y si el flamear de la llama quedaba oculto por el incesante humear de las groseras torcidas, su fuego servía para dar lumbre a los tabacos y a las cachimbas de los enamorados de la hoja nicociana.

El primero de los hidalgos en llegar fué el escribano público, don Martín de Castro, quien, desde la puertecilla de la calle, con voz un tanto gangosa, exclamó: —Mi señora, doña Guiomar, ¿da vuesa merced su venia?

—¡Cómo no, don Martín... !—Y la menuda mano de la señora, llevada a su propia boca, impidió la ruidosa carcajada.

Ante la acción de doña Guiomar, amostazado el escribano y como suspenso, no pudo menos que exclamar, protestando, entre admirado y resentido: —¡Señora!

Percatóse doña Guiomar del reproche de aquel *¡señora!*, y dando sueltas a la risa, le interrumpió: —¡No, seor hidalgo, dejadme reir!... Ja! ¡ja! Es el lance de la Catedral. ¿Sabéis?

Inclinó la cabeza en señal de asentimiento, con manifiesto disgusto porque de manera tan desenfadada se hiciera demostración de burla al señor Obispo, y adivinado esto por la de Paz, sirvióla de acicate para proseguir más zumbona:

—¡También vos, don Martín..., teméis..., respetáis... ! ¡Vamos, soltad la sinhueso, y oidme a mí... ! ¡Valientes tíos!

—¡Jesús!—exclamó el de Castro, pasando adelante, mordiéndose los labios para no dar salida a palabra alguna, y yendo a sentarse en un escabel, en sitio retirado del patio. Y volvió a murmurar:

—¡Jesús!—como simple protesta, pero sin atreverse a retirarse del lugar.

—Pasad vos, señor de Tamayo.

—No; a vos todo derecho, señor don Lope.

—Vamos, vamos, pasad en buen hora, y menos majadería—dijo entonces una voz cascada como de señor de avanzada edad, que interrumpió, con cierto retintín de mando, a los dos escrupulosos en cortesía.

Adelantóse el último que habló, y una cabeza y barba canosas evidenciaron la respetabilidad del visitante, don Diego de Soto, procurador de la ciudad, que pasó libremente y estrechó con toda cordialidad la mano de la señora.

Detrás de él pasaron los otros dos hidalgos, que todos lo eran en aquella tierra, don Rodrigo de Tamayo y don Lope de Coralillos.

—Lo sé, señora,—iba repitiendo Soto a doña Guiomar, y reían ambos a dúo, él por apoyarla en todo, y ella por su natural desenfado, en tanto que iban, con los demás, a ocupar asientos cabe el mamoncillo.

Siguieron a éstos los regidores don Juan Pérez de Guzmán y don Antonio Velázquez, y el tesorero don Lope Hurtado, y aumentóse el grupo de los mejores de la ciudad con la llegada del alcalde, don Bartolomé Ortiz, recibido como tal alto personaje, considerado y tenido por hombre a quien se debía rendir homenaje por su saber, su justicia y su carácter.

Tomó la butaca que le ofreció doña Guiomar, arrellanóse en ella, y, apoyando ambas manos en el bastón que traía, comenzó la conversación con un:
—¡Cuánto bueno y cuánto nuevo!

—Frescas nuevas y frescos... besamanos en la Catedral, mi señor don Bartolomé—respondió el tesorero, en quien dominaba un firme rencorcillo contra el Obispo Sarmiento, y se hablaron bajito.

—Panochas de maíz, señor alcalde,—añadió la Guiomar con tono irónico,—luengas barbas, luengas barbas, de cabezas respetables...—y comunicó a la reunión su risa argentina.

—Mala cabeza—respondió el alcalde—¿queréis atrapar una acusación que os lleve al Santo Oficio?

—Aquí me las den todas—replicó doña Guiomar.—Si me llevaran—e hizo un mohín descarado—con dejar que la caraza del cara de tísico de Sarmiento se acercara un poquitito no *má*...—y guiñó un ojo—a esta cara de cielo—y se daba palmaditas en la mejilla—con este... *caló*, hago cenizas a los autos..., a los santos..., a la *Catedrá*... y ¡ya quisiera el Sarmiento que le dejara aplicar su chopo a esta...!—y con una mímica desvergonzada, acompañada por las carcajadas de los tertulianos, concluyó: —Se convertiría el tío... en ascua viva!

—¡Jesús! ¡Jesús!—continuaba en voz baja, espantado, el escribano don Martín.

La aristocrática reunión se completó con los señores don Juan de Vergara, don García de Lugo, don Lope de Franco y el último en llegar, Lorenzo Díaz, llamado el poeta o trovador de la ciudad—por su manía de decir que lo era y de tratar de versificar, cuando hablaba, con renglones cortos—y el cual entró aceleradamente y con grandes voces de: —¡Aquí estamos todos. ¡Viva lo bueno!—haciendo saludos y contorsiones de galantería.

Doña Guiomar fué señalándoles asientos, y, apenas hubo concluído, cüando Díaz, anticipándose a los contertulios, con su desparpajo de familiaridad consentida y admitida, comenzó: —¡Válganos nuestro apóstol Santiago!—y ahuecando la voz, con aire de asustadizo, y significando temor de alguna contingencia, fuese a doña Guiomar, aplicó sus manos a los brazos de la butaca en que estaba arrellanada la señora, e inclinándose sobre ella, la dijo con tono misterioso: —Señora, la gran novedad del día..., y, aunque con la Inquisición, ¡chitón!, que no se diga...—Y dando suelta a su vena, añadió con sonsonete, recalcando las palabras intencionalmente, para que fuese bien comprendida la alusión a la dueña de la casa, a quien iba dirigida:

Con fray Ramírez,
ira.
Con el Obispo,
hipo.
Ambos han de batallar
por amar...

Y dando sonido prolongado a la última frase, calló repentinamente.

—¡Díaz, Díaz!—gritó desde su rincón don Martín—¡Cuidado, os digo!

—Ja! ja! con el gracioso hidalgo.—prorrumpió doña Guiomar, con tonillo zumbón que sirviera de incentivo al conversador:—¿Decís...?

—Que digo digo, que digo... digo—respondió Díaz, quien se apartó de la señora, aproximóse al grupo de los visitantes, y giró sobre un pie como un danzante.

—¡Os acobardáis, seor hidalgo!—recalcó uno.

—¡Se os acabó la vena!—añadió otro.

—¡Escanciadle vino que le anime!—expresó un tercero.

Y otro de los más jóvenes púsose a imitar el maullar del gato, sirviéndose de las manos como bocina y diciendo: —*¡Mieo, mieo!*

Reíase a más y mejor doña Guiomar, conociendo cuál era la finalidad de Díaz, quien jamás se arredró, y de cuya lengua mordaz trataban de escapar los timoratos, lengua que, suelta una vez, había de seguir hurgando reputaciones, sin parar mientes hasta dónde su maledicencia, puñal de la depravación, iría a herir, baja y cruelmente, la honra ajena.

Levantóse doña Guiomar, dirigióse a la mesa, llenó un vaso de cierto vino de Málaga tinto dulzaino, acercóselo a Díaz, y brindándoselo, le dijo: —Oiga el seor poeta. ¿Se os fué el *való?*... ¿Sentís frío?... ¿Se os hiela la sangre con este *caló* de infierno?... *Pué,* beba usía...—Y con tono chancero, poniéndole el vaso en los labios, continuó: —¡Que si la hoguera de la Inquisición quema, este vinillo calienta, y esta personita... requema! Conque, echad lo que tenéis en el pecho, que a los que aquí vivimos nos sobra valentía *pa to,* hasta... pa comerse a un obispo...!

Escuchó Díaz el chaparrón de provocaciones, puesta una mano en el cinto, y volviéndose sonriente a cada interlocutor, con aire de gran importancia, tomó el vaso de las manos de doña Guiomar, paseó la mirada por los visitantes, mostrándoles el vaso como cáliz propiciatorio, y se lo llevó a los labios en tanto que decía: —Adivinad, digo que digo... que digo... pues por...—Y apuró el contenido con fruición.

—¿Qué, qué? ¡Si no decís nada!—clamaron casi en conjunto.

—¡Silencio!...—argumentó Díaz con acento imperativo y en son de burla.—Escuchad un instante:

Si a las greñas,
cual jayanes,
por impulsos religiosos,
por motivos amorosos,
coléricos se lanzaron,
recibiendo mojicones,
el cura y el fray Sarmiento,
perdidas las esperanzas
de ser amados los dos,
decidme a mí "quién es ella",
o decid que miento yo.

Y prosiguió con valentía: —¡Torpes, con la torpeza de los villanos de este presidio! (con perdón del señor alcalde, con quien no va nada). Si os digo, malandrines y follones, que tomo el vino pues... ¿Qué quiere decir?... Pues... Si vuestro caletre es piedra berroqueña, blanda sólo para estar en contacto con la chusma... ¿Pues? Y si los frailes se emburujan en la misma iglesia y se mojiconean... pues, ¿qué quiere decir?, pues... ¡Haya luz! pues, por ella, y si ambos han de batallar, ¡torpes, más que torpes!... por la mar.—Sumióse en un gran silencio, y al notar que no se interrumpía, lo rompió él mismo, repitiendo y dando cantinela a la última frase: —"Pues por ella"... —Y repitiendo "por ella" y girando sobre sus talones, señalaba a la dueña de la casa, y agregaba por último: —¡La mar... la mar, doña Guiomar!

Risotadas y palabras de doble sentido ahogaron la última frase del gracioso, haciendo coro con más ruidosa alegría doña Guiomar, al ver descubierto el motivo, causa de la comedia semidramática que acababa de representarse, en ese día, en la Catedral; y por lo mismo, haciéndole eco a Díaz, y como si dejara al otro la responsabilidad de lo dicho, soltó la suya con: —¡Vaya, amigo Díaz, ya no es sólo la lengua de esta pobre viuda la maldiciente; ya no es esta criatura tan... *calumniá,* y sólo porque *Dió le ha dao*... mucha alegría y mucho... *de tóo,* y que el fray Sarmiento, mi señor el Obispo,—continuó con sorna humilde—no tiene bastante con la sobrina que... con él vive,... en su palacio, se entiende. No levantemos falsos testimonios, que no se nos absolverá en la penitencia..., aunque una ligereza de lengua donde quiera cabe y *pué sé* que... ¡vaya!, ¿la suelto?, que—¡allá va!—que la falta de carnes de la Clarisa tiene a mi *señó tóo* el año de vigilia, y quiere buscar...—dándose golpes en las redondas caderas—carne de *verdá,* y blanda... aunque sea *pa almohá!*

—¡Malas lenguas!—intervino el alcalde.—Vamos, hija, sabéis que os estimo de veras, y que un viejo no puede tener intenciones malucas. ¡Ca!—y suspiró.—¡Un poco de caridad de Cristo para los que la predican...!

—¿Predican la caridad esos frailes?—arguyó doña Guiomar abriendo los ojos desmesuradamente y haciéndose la inocente asombrada.

—Ya lo creo, pues, para eso los ha enviado acá nuestro Rey y Señor.

—Ah!, ¿los envió para eso nuestro Rey y Señor? ¿*Pué* no sabe el señor alcalde que el camino de Castilla hasta acá *e* muy largo, que soplan, ¡uy! grandes ventoleras; que ellas se lo llevan *tóo,* hasta las buenas intenciones, y que éstas fueron escapando de la mollera de esos tíos, quedando solamente en ellas lo de peso, que son... la codicia, la ambición, el *amó* a nada bueno... a no *sé pa* el oro, *pa* las encomiendas, y *pa* la mujé?—Y con grandes carcajadas acabó sus satíricas frases.

—¡Jesús, Jesús!—siguió lamentándose el escribano.

Como resultado del discursear en la tertulia, las

chufletas, llenas de crudeza, se cruzaban sin cesar de los unos a los otros, y, aunque rojas por su excesiva desvergüenza, no alcanzaron a encender el rubor en nadie, ni a manifestar disgusto por ellas las autoridades ni la misma dueña de la casa, cuyo licencioso hablar y libre escuchar la tenían curada de espanto, por lo que parecía que aquellas impresiones resbalaban por sobre su sonrosada epidermis como agua fresca y limpia que corre sin estorbos.

En los principios de su viudez había sido garantía de sus carnes contra los ataques de los más osados, que supusieron ser cosa fácil llevar a la práctica la lubricidad de sus pensamientos desenvuelta en la palabra, un soberbio revés aplicado duramente por aquellas manos adorables que lo mismo sabían dejarse besar que hacerse respetar. —¡Quietas las manos!—era frase que, acompañada de la acción, ponía coto a los vuelos de los más audaces pretendientes de la garrida viuda.

—Este tabaco es de cosecha vieja; probadlo, señor de Soto. Del Caney trújomelo un indio de los viejos, por quien intercedí ante el señor Gobernador; y tomad éste, señor Alcalde, que...—y volviéndose picarescamente a los tertulianos les dijo: —Va sin malicia, que para vos guardo y para vos... lo enciendo—Y con chupones dábale lumbre, aplicándolo a una de las mechas del inmenso velón cuyo pulimentado cobre era un reflector por su perfecta limpieza.

Cada cual tomó y encendió un tabaco, y doña

Guiomar, encendiendo otro, lanzó también sus bocanadas, recreándose con el humo como si fuera de lo más delicioso.

Al despedirse, observó el de Hurtado: —¡Qué extraño no haber visto por acá, esta noche, a vuestro sobrino Hernando! ¿Qué se hace el mozo?

—Raro es, en efecto, y de no estar enfermo, presto estará aquí. Mozo y sin conquistas ¿qué hacer?... Pues, sabeislo, amigo Hurtado, las conquistas necesitan lucha, y la victoria no es valedera, ni agradable sin la resistencia, y aquí todas son plaza apenas atacada, plaza rendida..., todas, a la primera embestida, ni "tuya soy", contestan, sino se tiran. Al pobre mozo habrá que enviarle a Castilla. Me da pena pensar, aunque lo niegue, lo aburrido que habrá de andar.

—Veremos qué habremos de hacer de él: lo mejor, como decís, será enviarle a Castilla.

—Y del Gobernador, ¿qué sabéis?

—Suponed cómo estará Su Señoría. ¡De buena cáscara es! ¡Buena zurra les espera a los frailunos esos! Mañana es el día de visitarme el señor Gobernador; sabéis que no viene en compañía por respeto a su autoridad: bien habremos de reir mañana.

Daba vueltas y más vueltas Díaz, esperando ser el último en marcharse, dado su carácter, y se obligaba a esa costumbre para, al quedarse solo, escanciarse otra y otra copa de Málaga, libre de miradas importunas, y esta vez, al saborearlo deliciosamente, se dirigió a doña Guiomar y la dijo:

—Señora mía, porque os veáis siempre lejos de tentadores frailunos, os va una copla de advertencia.

Y con el mismo tono truhanesco y desvergonzado, en son de despedida, a la no interrumpida, sonorosa y alegre risa de la viuda, la endilgó una de esas que se llamaban *trovas del trovador de la Fernandina:*

Que el fraile es hombre
De carne y hueso, pero,
Falto de peso...
Y si el hambre pica,
Y falta la lumbre,
El fuego se busca...

Y con una pausa de procaz malicia, haciendo un mohín con los labios, en forma de enviar un beso a doña Guiomar, partió ligero recitando:

El fuego se busca
En la hoguera
De unos labios
De coral,
De la boca
De la bella,
De la bella
Guiomar...

Y el nombre de Guiomar se escuchó lanzado desde la calle, y la voz despertó, lleno de enojo, al escribano don Martín, que dormitaba en el rincón en que se había recluído. Al verse solo, despidióse apresuradamente, exclamando, escandalizado por la estrofa que había alcanzado a oir: —¡Disparate! ¡Procacidad! ¡Jesús!

III

Ya sola, doña Guiomar, cansada de tanto charlar y de tanto reir, dejóse caer de nuevo en la cómoda butaca de cuero sin adobar, su sillón predilecto, sofocada, oprimida la respiración, y llamando a voces: —¡Rosario!—presentóse la indiecita tras corto instante, con los ojos abotagados por el sueño, luchando por no dormirse, temerosa de la natural reprimenda, aunque nunca pasara ésta de ser ligera reprensión, y la dijo anhelante: —¡Abanica!—al mismo tiempo que, para mayor inteligencia de la criadita, simulaba, con la mano derecha, la acción de echarse aire.

Rápida corrió a la casa la indiecita y volvió al punto con un tejido de yarey, groseramente ribeteado con pedazos de tela para darle mayor consistencia y fuerza. Puesta a la derecha de la señora, empezó a aventarla con presteza, recibiendo ella aquel auxilio salvador con fuertes aspiraciones de los pulmones. Desabotonóse la camisa, dejó caer un tanto el escote, dió al aire buena parte de sus pechos, y sonrióse satisfecha de la delicia que le proporcionaba el abanico de la india.

Su cerebro, inquieto como ella misma, no lograba total descanso. Recapacitaba sobre los discursos habidos en la tertulia, y era fruición para su alma el morder en la ajena conducta. Asaz maltratada la suya por todos, menoscabada su honra por despechada envidia más que por justicia, gozaba con la mordacidad en contra de los demás. Sus pecados, los que con tanta facilidad se le achacaban, los constituía el su hablar licencioso, y era corona gloriosa para ella el conservarse verdadera y materialmente honrada, magüer la asediaran pérfidos galanteadores.

Estaba segura de la visita que para el día siguiente le prometiera el señor Gobernador, y con conocimiento perfecto de su carácter, y de cómo eran atendidos sus consejos, calculaba ya de antemano cuánto habían de influir en sus determinaciones las ideas que le prodigaría como sencillas pláticas, y, aunque no era necesario estimular las energías del alto funcionario cuando se trataba de la defensa de Su Majestad, no estarían de más esas insinuaciones para inclinarle más y mejor a un fin que redundase en prestigio del Rey y en beneficio de la paz y de la tranquilidad, que eran las fatigas de la autoridad por la tierra recienconquistada y a él encomendada.

En aquel momento, a pesar de su gozo, sufría doña Guiomar una pequeña contrariedad: le extrañaba no haber visto a su sobrino Hernando de Nájera, sobrino carnal de su difunto esposo, el tesorero Pedro de Paz, de quien heredó ella los bienes que poseía.

Quería entrañablemente a su joven pariente, quien nunca dejó pasar día sin visitarla, ni negocio que emprender sin consultarla, fuese éste el que fuera, fútil, arriesgado o peligroso.

Ganábale la impaciencia, y comenzaba a inquietarse muy de veras, cuando a poco oyó pasos acelerados, por ella bien conocidos.

—¡Hernando!—inquirió doña Guiomar.—¿Sois vos?

—Sí, tía; el mismo.

—¡Alabado sea el Señor! ¿Qué os ha mantenido tan alejado de mí en todo este día?

—Cosas y más cosas, tía.

Y el gallardo mancebo avanzó hasta su tía, y depositó en su frente un beso de respetuoso cariño.

Era Hernando de Nájera un niño mimado y malcriado, y, como si continuara siendo lo mismo para la tía, habiendo de chiquillo crecido entre sus faldas, por decirlo así, no tomó doña Guiomar siquiera la precaución de subirse el escote de la camisa, con el cual se aventaba a momentos, dando con ello mayor entrada al fresco que con el abanico la india le enviaba.

La licencia, costumbre de la villa, no implicaba mayores respetos, y si para los extraños conservaba doña Guiomar una sombra de pudor, cubriendo de hecho lo que con el hablar descubría, para el sobrino era cosa corriente verla tal cual se encontrase al visitarla, sin que esto en él sirviera de incitación alguna, ni en ella tampoco fuese intencional devaneo.

Tratado como hijo propio, era ser de su ser, y acostumbrados ambos a la visión de desnudeces de indios y de negros, era cosa curiosa ver a aquella mujer, para quien la escuchara, desconociéndola, ser honrada y severa en sus actos e impúdica en su lenguaje, sin afectarla ni las desvergüenzas de los unos ni los dichos crudísimos de los otros, como no le afectaba la presencia de ninguno de los indios de su encomienda, aun en los momentos de dejar el lecho—quitanda aderezada lo más blandamente posible—al saltar por la mañana, tras noche bochornosa de calor, sin más abrigo en el cuerpo que los negros cabellos, sueltos y largos, cubriendo sus modeladas espaldas.

Había cumplido el bizarro Hernando, escasamente, los veintidós años, y desde los ocho era huérfano de padre y madre. Su tío, el tesorero Pedro de Paz, hízose cargo de él, y doña Guiomar, su mujer, tomóle cariño de verdadera madre.

Exageró, quizás, tal cariño, pues, por culpa de sus consentimientos, había sostenido serias discusiones, en vida de Paz, por la profesión a que debía dedicarse el joven: —¡ Ya es hora de que asiente la cabeza!—decía el tío. —¡ Si es un chicuelo!—aventuraba la tía. —Le echáis a perder vos! —¡ Si no tiene madre! —¡ En vez de estudiar gramática anda vagando con indios y con negros! —¿ Y vos no fuisteis joven?—Y con estos dimes y diretes, discusiones terminadas sin riña por ambas partes, creció el joven cual potro sin freno ni gobierno, sin más voluntad que la suya y con sólo, por fortuna, el natural dique de un corazón generoso y valiente.

Fuerte creció, y jugando con los indiecitos de las

encomiendas de su tío, aprendió con ellos a salvar barrancos, a cazar jutías y pericos, a conocer su lengua, y tomando parte en los juegos de bates, a desarrollar sus músculos y a hacerse incansable.

Queríanle los del presidio, encariñados estaban con él los soldados, le consentían los caballeros, y las mujeres, aun las de noble apariencia, le atraían con favor.

Su barba negra, bastante cerrada, hermoseaba su rostro; a sus labios bien dibujados adornaba fino bigote, y por su sonrisa se percibía que sus dientes eran blancos y simétricos. Sus ojos, negros también, sabían entornarse con dulzura, cuando la bondad los dominaba, y lanzaban rayos iracundos, cuando eran su acicate la soberbia o el coraje.

Era de los que sabían algo de letras, leyendo mal y escribiendo peor, y conservaba su hidalguía manteniéndose ignorante tanto como los demás dominadores de la colonia. Por una contrariedad, o una resistencia, sabía llegar hasta la brutalidad. En la lucha, su fuerza, vinculada en los puños, o su habilidad en el manejo de la espada, eran sus valedores, y apenas vencedor, trocábase su acometimiento en bondad, sin guardar rencor al contrincante. Desahogada su ira en la pelea, convertíase entonces en suave y generoso caballero.

Vestía calzas de cotonía, y a las robustas pantorrillas ceñíase un pedazo de lona atado con tiritas de cuero crudo, para salvarlas de ser arañadas por las malezas por entre las cuales se arrojaba el doncel sin tomar cuidado alguno. Una camisa de estameña, de color terroso, era la vestimenta que le cubría de la cintura al cuello. En la cabeza llevaba un sombrero de yarey, tejido especialmente para él por sus indios favoritos, y dos plumas rojizas de flamenco dábanle particular bizarría; de un tahalí de cuero a medio curtir colgaba una buena tizona, herencia de su tío, y llevaba atadas al cinto, con numerosas vueltas, sirviéndole de cinturón, unas cuantas brazas de cuerda del grueso de un dedo meñique, útil y propicia para innumerables servicios en todas sus correrías: —Sentaos, sobrino, y hablemos. ¿En qué habéis empleado vuestro cuerpo en todo este día?

—Tía, en nada más que en corretear tras las jutías; pero conste que venía temprano, como de costumbre, a vuestra tertulia, cuando tuve que acudir a salvar de desgracias que se me salieron al paso...

—¿Salvar?

—Sí, ya veréis. Dejadme sentar primero. La noche había cerrado oscura, y más oscura aún en el monte, donde sabéis que es la sombra gigante, lleno como está de tanto árbol. Iba yo en compañía de mi indio Abey, e íbamos a salir a un claro, cuando el indio, tomándome repentinamente por un brazo, y señalándome uno de los árboles más cercanos, me indicó un bulto atado y suspendido por algo de una de las ramas, y que, por lo que ya sabemos, adivinamos que ese algo era una cuerda. La obra se retardaba, ya por vacilación, o ya por defecto de la cuerda, y esto me dió tiempo para resolver. Encomendé a Abey lo que había de ejecutar: que trepase sigilosamente, lo cual podía hacer presto porque el árbol no era de los mayores, y que impidiese el sacrificio de quien fuera la víctima. Trepó como una serpiente, y temí una desgracia, pues, tan pronto encontróse en lo alto, abrazóse a otro indio, y, juntos, dieron en tierra, al agarrarse de la cuerda, que se rompió a medio bajar. No soltó Abey su presa, y acudiendo yo de un salto, la sujetamos entre ambos, y suponed, tía, mi sorpresa: ¡era una india de las jovencitas de la encomienda del Obispo!

—¡Del Obispo!

—¡Sí, del Obispo!

—¿Y cuál de ellas, Hernando, pues, sabéis que aquí se me vienen todas?

—Dayamí.

—¡Dayamí! ¿Y qué os contó?

—Seguid escuchando, tía. Después de haberle asegurado que no sería castigada, me dijo ella lo siguiente, que vais a oir, y que con dolor acerbo me fué relatando. Yo no soy bueno, tía; pero soy fuerte sólo con los fuertes, y vos bien lo sabéis, y... vos misma sois así como yo. Recordad, para no condenarme, si he obrado mal, que otras veces por algo parecido me habéis alabado diciéndome: "Tenéis corazón, sobrino", y os he visto a vos repugnando los castigos crueles a los indios, y sé cómo habéis interpuesto vuestras influencias, y los habéis amparado, cuando habéis podido, y con vuestra protección les habéis logrado algunas ventajas. Los indios acuden más a vos que a las autoridades, y lo que no logran las cédulas de Su Majestad, lo habéis obtenido vos, y no en balde os adoran como a uno de sus *cemíes,* y esto es tener corazón, ¿verdad, tía?

—Seguid, hijo, seguid, que, según vais alargando la historia, gran pecado habréis cometido cuando preparáis tanto la defensa. No temáis, que soy... obispa sin mitra, se entiende, y os absuelvo por adelantado.—Y rióse, que la risa era, en todos momentos, su compañera inseparable.

—Conozco bien su habla, su lengua, por mis andanzas con los indios, y así es que puedo holgarme de haberla entendido perfectamente. Dayamí, serenada cuanto pudo, comenzó su relación diciéndome: "Yo me consideraba contenta, trabajaba cuanto podía con mi padre Ouyé, con Natí, mi madre, y mis hermanos Yabú y Yara... La doctrina me era fácil, y aclaraba el entendimiento a los demás cuando les costaba entenderla. Yo pedía al *Baganioná* de los cristianos que se apiadase de nosotros, puesto que los nuestros nos habían abandonado y no nos escuchaban; pero viendo que no nos atendía tampoco, volví a los míos; muchas veces fuí con el behique Sesí..., y él me daba esperanzas diciéndome: Aguarda. Mucho aguardé, y también creí que estaba sordo a mi ruego *Baganioná.* Solos estamos en la tierra, desnudos de toda protección del cielo. Hace dos días que nuestro padre el Obispo nos reunió a todos sus indios, y nos dijo que no le alcanzaba lo que le dábamos para poder mantenernos; que los socorros a la Iglesia no se cumplían, y que se veía obligado a enviarnos a trabajar con otras cuadrillas a las minas, y que el amo Tessel acudiría a buscarnos. La ama, señorita Clarisa, fijó los ojos en mí y habló al Obispo bajito. —Haz lo que quieras—dijo éste, y se fué, y me quedé sola con la señorita. Entonces me llamó, y me dijo aparte: —Dayamí, te he escogido para que te quedes a mi servicio; alégrate, pues no pasarás trabajos. Se retiró la señorita Clarisa sin esperar mi respuesta, y volví a mi familia. Todos marcharon con el amo Tessel hace tres días, y yo me quedé sola. Cuando llegó la noche y pudimos juntarnos por última vez, mi padre había acabado su oración y se recomendaba a *Mabuyá,* cansado de pedirle a *Cemí;* mi madre y mis hermanos callaban; la resolución estaba tomada y sólo me aguardaban, entretenida como estaba en arreglar la cama a la señorita Clarisa. —Dayamí,—me dijo mi padre Ouyé—hay que dejar Coabí a los amos; ellos quieren acabar con nosotros, y pueden. Nosotros debemos irnos y dejarles la tierra. Nos iremos tranquilos, sin padecer sus rigores, antes de que martiricen nuestros cuerpos. La muerte cerrará nuestros ojos, recibirá nuestros espíritus y juntos viviremos en el cielo; tú te quedas aquí. Mañana nos iremos para no vernos más en Coabí. Por *Baganioná* y *Mabuyá,* jura que cumplirás mi voluntad.—Mi madre lloraba, y yo dije firmemente, con el valor que me da mi sangre: —¡Manda, padre; tu voluntad es *Baganioná!* —Dentro del cuarto día, cuando la Luna suba como torta de casabí por encima de la montaña, vendrás a reunirte con nosotros. Toma esto y escóndelo.—Y me dió la cuerda que está allí, y me señaló el árbol de donde he caído con Abey. —¡Hija mía, adiós!, me decía, besándome, mi madre. ¡Hermana, adiós!, me decían, al abrazarme, mis hermanos. Y besé las manos de mi padre, en fe del cumplimiento de mi deber. Y esto me has estorbado, amo Hernando, realizar. Mi padre, mi madre, mis hermanos, son idos. ¡Maldito seas, amo! ¡Maldito, porque le impides a Dayamí irse con los suyos!''—Y con nuevos esfuerzos quiso arrebatarse de nuestras manos, y llegó a morderme. —Mira —y tendió a su tía la mano izquierda donde se diseñaban fuertemente las huellas de los dientes de la indiecita.—Fíjate, tía, en que me había conmovido la historia de Dayamí. Yo he visto a los indios hacinados, débiles, sin fuerzas para una rebeldía, y con valor sólo para colgarse. ¡No sé cómo teniendo valor para morir no lo tienen para matar! —Y tras un rato de meditación, exclamó Hernando con brutalidad: —¡Son mejores que nosotros! Tía, nosotros somos los buenos y los matamos haciéndoles buscar oro, y los matamos no dándoles de comer, y los matamos dándoles el agua podrida de las minas, y los matamos a palos, y los tratamos como animales, y les cogemos sus hijas, y... !—Lanzó Hernando una especie de carcajada histérica llena de mofa, y subyugado su corazón por lo que acababa de narrar, exclamó con sarcasmo: —¡Y venimos a convertirles y a traerles la religión de Nuestro Señor!

Callaba doña Guiomar, y levantándose fué a Hernando, que permaneció ensimismado, y, con un tonillo argentino y un tanto zumbón, replicó: —¿Y el sobrino no ha puesto también las manos en ello, y las indias, sobre todo, las bellas, que también las hay, Hernando—¿verdad?—no habrán de quejarse de vos? ¿Y en la compasión a Dayamí no habrá alguna pasioncilla más fuerte que...?

—No, tía—le interrumpió Hernando rápidamente.—Júroos, y sabéis que nada os oculto, que no hay india, hoy, que me importe... Ya os hablaré otro día de la que verdaderamente enciende mi pasión; pero ahora veréis que sólo la piedad me ha conducido. Engañando a Dayamí, haciéndola creer que iré en busca de su familia, he logrado hacerla jurar que no se matará, si le traigo sus padres, y le dije a Abey: —Tómala, vete, cuídala y escóndela, donde nadie la encuentre.—Y para esto es que quiero vuestra aprobación, pues es la primera vez que me pongo frente a frente al señor Obispo. Yo sé matar sin vacilar, como lo hice, de una puñada, al insolente soldado que me irrespetó; pero, no está en mí, me siento débil ante los indios, mujeres y frailes. ¡Vamos, será una debilidad; pero no puedo remediarla!

—Chiquillo, vete a dormir; toma un vaso de Málaga, y calla; es tarde y... ya arreglaremos eso; pero..., de verdad verdad, ¿no habrá amor tuyo de por medio?—Y la risa sonora retozó en sus labios.

Besóla Hernando la mano y la repitió muy serio: —No, tía; os doy mi palabra de honor.—Y como con despecho, añadió en seguida: —Hay una maldita que domina mis sentidos,... ya sabreislo presto.—Y marchóse a grandes pasos arrancándose de aquel lugar.

—¿Sentará la cabeza?—quedóse murmurando doña Guiomar, recostada en su quitanda (*), libre de ropas que le dieran calor, en tanto que una india, desde ese momento hasta la vuelta del día, mientras conciliara el sueño, estaría ahuyentando, con el aire agitado por un gran abanico de yarey, a los mosquitos y jejenes, y removiendo la atmósfera pesada e insufrible por el calor y por el vaho de cuerpos humanos en habitaciones sin ventilación ni limpieza.

(*) Quitanda: cubanismo antiguo; cama fija de cujes.

IV

Camino del mar, cabe una pequeña explanada, con lugar bastante para situar dos cajones vacíos y colocar sobre ellos una tabla de palma que sirviera como de banco, para soldados y presidiarios, se alzaba, con cara al Este, el bohío de Juan el cantinero. Dos mesitas y unos escabeles completaban el ajuar de ese café, cantina y bodega, centro de reunión de la gente baja de Santiago.

Separado por un pequeño espacio se levantaba, junto a éste, otro bohío, casi en ruina, con la diferencia, respecto del primero, de que su tejado era caedizo y no tenía en las paredes más hueco que el de una especie de agujero a modo de puerta. Las paredes eran de adobes mal unidos, y servían de puntales al tejado de pencas de guano unos horconcetes torcidos e inclinados que no habían sido descortezados después de separados del árbol.

Una porción de piedras, maderos perdidos, algún barril maltrecho, cajones vacíos, montones de cujes, trapos inservibles, basuras y hasta excrementos llenaban el espacio existente entre ambos bohíos, sin que, al exterior, se conociera que eran dos casuchas separadas. Aquel espacio era uno de los depósitos del cantinero Juan, y el bohío de techo caedizo, la vivienda de un negro viejo, muy ladino, conocido por el nombre de *Taita Congo*. Habitaba con el en la misma choza derruída, la mulatica Lola, su nieta.

Juan el andaluz, desde las seis de la mañana, a veces antes, abría su tenducho, y no lo cerraba hasta la hora de la queda, hora que se anunciaba por un arcabuzazo disparado desde la Atalaya del Adelantado.

El cantinero había llegado, a la ciudad embrionaria, de criado, de cocinero, de marinero agregado a una de las primeras naos, a las cuales sobraron tripulantes, tan pronto como el delirio del oro, llevado por los descubridores, cundió por la Península y se esparció por el Viejo Mundo la noticia, como una verdadera *Buena Nueva* que llegaba volando por encima de aquellos mares, hasta entonces tan llenos de misterios y de temores inenarrables.

Adobes mal colocados, y peor enjalbegados, de tierra amarilla rojiza, cerraban por todas partes el tenducho, con sólo una abertura a la calle y otra al patio, puertas, ambas, extraordinariamente reforzadas, de modo que, después de cerradas con sus trancas al interior, se necesitara fuerza y ruido para abrirlas. El tendero lloraba miseria y se lamentaba constantemente: —*¡Mardito sea er día en que puse el pie a bordo pa vení a eta mardita tierra!*—queja con que solía saludar a la chusma del presidio, sus asiduos parroquianos, y de quienes vivía y a quienes explotaba descaradamente.

No faltaba día en que no jugara a la brisca con varios amigos; entre éstos no faltaban el Perete, y, particularmente, el tuerto Gaínza, que se decía muy su amigo, y, en el juego les refunfuñaba que perdía el tiempo entreteniéndose con ellos: —*Pa ve si hacía algo.*—A lo que le replicaba el tuerto con zumba: —*No llores, desgrasiao, que ni estos caballeros ni yo te venimos a pedir ná.*

La tienda-pocilga era una reducción de la villa-pocilga, y una pocilga aumentada y más perfecta en su clase que las dos zahurdas de troncos y de tablas de palmas rajadas, allá en el patio, en las cuales se revolcaban, en cieno pestilente, dos larguchos y huesudos cerdos, aguardando la hora de ser beneficiados. El patio tenía por límite una cuesta pendiente, en declive hasta el mar, cuyas orillas bordeaban espesos mangles salteados de grandes uveros. Un encujado de la altura de un hombre cercaba el patio; pero no era obstáculo para que fuese cruzado por el que quisiera hacerlo con un poco de habilidad.

En un chiribitil, convertido en cocina, con piedras a distancia sirviendo de fogones, se ostentaban una cazuela de regular tamaño, para las carnes de los guarros beneficiados, y dos cazos, más pequeños, para cocer el cotidiano mal puchero, bazofia deleitable para el mercader, recargado de pimentón y ajo machacado.

Más pirata que tendero, no había podido Juan perder el hábito de sus antiguas correrías por las costas del Mediterráneo; apañaba todo lo que había que apañar, y éste era su lema, como eran sus blasones o ejecutoria de bandidaje puñales, calaveras, corazones y palabras lascivas, que, con pintura azul indeleble, llevaba tatuados en sus velludos brazos, siempre desnudos.

El hombre era de aquellos para quienes el escrúpulo no existe, cuando lo que hubiera de ejecutarse prometía algún beneficio. Era un pícaro inadvertido por las autoridades, a quienes tenía el buen cuidado de no molestar, y a quienes sabía adular, además, de cuando en cuando, con el obsequio de un buen pescado, al caer uno de éstos en las varias nasas que mantenía a orillas del mar. Muchas personas, de categoría inferior, le despreciaban sin ambajes; otras, viviente confusión y mezcla de soldados aventureros, de criminales en presidio y de negros esclavos, le contemplaban y respetaban como a un personaje. Y, ya fuese porque les prestaba la mano para alguna escondida fechoría, o ya por ser él acaparador de los robos de mineral que, en cualquier descuido, se efectuaban en las fundiciones, le consideraban y estimaban como a su jefe natural; e influiría en ellos, tal vez, como un gran merecimiento, el estar convencidos de que, de la misma manera que les daba un consejo salvador y sabía ocultar sus delitos, a su vez, si le hubiesen obligado a ello, sabría castigar sin vacilación, infiriéndole terrible cuchillada, al que hubiese tratado de engañarle o chasquearle.

Algunos ducados trajo o consiguió, no se sabe

cómo, y ellos, unos treinta duros, empleados en cerdos, le habían servido para comprar, casi a raíz de su llegada, una negra robusta y fuerte, que se llamó Dolores. Dolores había resultado ser hija de *Taita Congo,* y aunque bastante fea, no importóle nada, y convirtióla en cocinera, lavandera de las ropas de ciertas familias, y, al mismo tiempo, auxiliar en todos los quehaceres de la casa, y era, además, la única persona que barría, aunque muy de tarde en tarde, la plazoleta de la tienda.

Brutalizándola, pegándola a ratos, no hablándola sino con palabras indecorosas, hizo de aquella criatura, de sí salvaje, una verdadera bestia de trabajo y siempre presta a todos sus mandatos. Jamás atrevióse ella a actuar por sí misma; sin sentimientos vivía, y de tal manera subyugada y dominada, que jamás, en aquel cerebro rudimentario, brilló nunca la más leve chispa de la idea de oposición a las órdenes del amo: era una masa de carne con ojos, pelota dócil a rodar por donde la empujara el capricho de su señor.

El mostrador o tabla que servía de tal cerraba casi la puerta de la calle, y servían de escaparates unas cajas que fueron de mercaderías, colocadas, en un rincón, las unas sobre las otras.

Siempre había, colgadas de las alfardas, algunas butifarras confeccionadas por el mismo Juan y su negra. Con las carnes de cerdo sobrantes de las ventas, mal picadas con un cuchillón, agregándoles trozos de cecina y pedacitos del ají indio, rojo y picante, se rellenaban las tripas del cerdo beneficiado. Eran aquellos embutidos una roñosa porquería, pues, además de la mala manipulación en cubos asquerosos, las tripas del cerdo estaban faltas de aseo. Mal lavadas, colgadas al sol para secarlas, se cuajaban de moscas, atraídas por el hedor que despedían con creces, y las cuales, a su vez, las convertían en viveros de sus gérmenes y parásitos.

Siempre había chicharrones en abundancia, amontonados en lebrillos de barro verde vidriado, y por muy mosqueados que estuviesen, la total realización era segura, y no se sacrificaba nuevo cerdo hasta que no se hubiese agotado la mercancía de venta. La sangre del animal, recogida en otro lebrillo, con un tanto de sal, ajos mondados y ají, bien refrita, se despachaba rápidamente, entre los del presidio, sobre todo, y con la precisa condición de que no había despacho de chicharrones hasta que la especie de torta de sangre no se hubiese concluído. Las carnes, cortadas a trozos, eran condimentadas con mucho picante y ajos, y, después de sofritas en la grasa sobrante de los chicharrones, conservadas en un tinajón pequeño de barro malagueño, adquirido por Juan en una de las naos expedicionarias que, muy de tarde en tarde, arribaban al puerto. Las piernas traseras eran regalos, una vez, al señor Gobernador; otra, al señor Obispo; otra, al señor Alcalde o al señor Tesorero: precisaba tener a todos contentos.

La venta de carnes adobadas era cosa fácil, pues ese era el recurso del soldado que se hallaba bien con esa comida extraordinaria, fuera del rancho desabrido, y el cual se deleitaba al devorarla a la puerta del tenducho, con un buen pedazo de pan *casabí*.

Se detallaba indistintamente, en la taberna, vino muy oscuro y aguardiente anisado, servidos, en porrones catalanes de vidrio, el primero, y en escudillas de barro, el segundo: no está de más indicar que esas vasijas no se habían lavado desde el día en que comenzó su uso, ni lo fueron tampoco después.

Una cuarta parte del chiribitil estaba ocupada por una porción de botijuelas envueltas en sus forros de esparto, apoyadas en montones en uno de los ángulos de la pared del fondo, y las cuales contenían un aceite verdoso, semirrancio, que a nadie repugnaba, y que se servía en las meriendas sobre un pedazo de *casabí* restregado con un diente de ajo, con una pizca de sal machacada groseramente entre dos piedras, y aceitado ligeramente para que no se deshiciera la torta, que no se comía en otro plato ni con más cubiertos que los dedos de sucias manos.

Había sardinas saladas, envejecidas, según las denunciaba al consumidor la pronunciada capa rojiza de la sal y de la humedad que saltaba a la vista; pero no importaba al soldado la mayor o menor descomposición de la mercancía; había que aprovecharla, y, además, no había otra de que echar mano. Arrojada una a las brasas del fogón, la sacaba el cantinero haciéndola saltar fuera con una cuchara de latón, la escamaba rápidamente, le separaba la cabeza, que lanzaba a la calle, y con *ayolí,* guardado en una cazuelilla, y empleando una espátula de madera, untábase al pescado, y devorábanlo los parroquianos, quienes remojaban, apenas engullido semejante manjar, larga y copiosamente el gaznate, con el porrón en alto y a chorros delgados, para disminuir el ardor en el gargüero por el exceso de sal, ajo y aceite inferior y averiado.

Los domingos, por la tarde, eran días de *juerga,* y acudía gran número de soldados a comer la gazpachada, una ración de cierto gazpacho de *casabí,* con un poco de aceite, agua en abundancia y vinagre rojo sucio de los vinos que iban agriándose por la temperatura y su mala calidad. La cebolla no existía, pero sobraba el ajo, y esto bastaba. Este gazpacho era un plato delicioso que le dejaba una buena ganancia al tendero; lo hacía servir, en la explanada, por la negra Dolores, conociendo los hábitos de la soldadesca, que gozaba al sentirse servida por una mujer, por fea que pudiera ser, y no por un hombre, y por el deleite de las frases chocarreras e indecentes y el de algún tocamiento, cuando mejor les pareciere, que se permitían los comensales. La negra, a quien era igual cualquier perrería, se conformaba con responderles en el mismo estilo, con signos indecentes, movimientos lascivos y algún porrazo, cuando la mano del soldado se extremaba haciéndole daño con un pellizco brutal.

—¡Juan, que te la llevan!—le solía advertir con sorna el cabo de escuadra, el tuerto Gaínza, que precisamente era el aprovechado con ella a espaldas del dueño, donde quiera que la hallara. —¡La negra te la pega, Juan!—le decía muy al principio. —¡Qué se me da a mí esa perra!—replicaba bestialmente Juan.—En no robándome, *ancha e Castilla, y despué, eso e jabón que no se gasta.*—Y encogiéndose de hombros, gritaba a más y mejor: —¡Burra, sirve a los caballeros!

La nota sobresaliente y hermosa de la tienda, en comparación con los otros figones y tenduchos esparcidos en distintos lugares del poblado, era justamente su suciedad sin límites. Quizás a esto debía su gran concurrencia en el despacho de aguardiente, por la mañana; meriendas y desayunos, después; placiéndose en esa suciedad aquellos que se hallaban más a sus anchas en el elemento de los cerdos, que era el suyo propio, revolcándose en un foco de toda clase de inmundicias, a pesar de tener figura humana.

Desde cierta distancia era maloliente aquel lugar, y al poner los pies en el umbral de la puerta, para traspasarla, y detenerse en el reducido espacio entre ésta y el mostrador, se sentía una bocanada de sentina pestilente que apretaba la garganta. No era aquello el mal olor peculiar de ajos amontonados, de aceite descompuesto, de vino agrio, de ropas sucias; era algo más desagradable.

Las sardinas descompuestas, a pesar de su salazón; el suelo lleno de costras de lodo seco, el tufo del corral de los cerdos, impregnaban de sus hedores el ambiente; hedores aumentados por el de excrementos humanos vertidos junto a la pared de la choza que miraba al mar, y que allí permanecían secándose bajo la acción de un sol reverberante, y evaporando el álcali de los orines, y por el de cueros podridos, mezclados con el hálito de los sudores del cantinero y de la esclava Dolores; todo lo cual constituía una atmósfera mefítica y nauseabunda.

Cuando se cerraban las puertas, y roncaba Juan en el pedazo de hamaca atado a dos postes de las vigas del tejado, y la negra Dolores, tirada en el suelo, cerraba el paso de la puerta del patio con su cuerpo, eran aquellos pulmones fraguas de altos hornos aspirando apaciblemente el aire hediondo y caliente que hubiera sido irrespirable para quienes no fuesen aquellos cochinos plenamente satisfechos en su sentina, como que ya vivían adaptados a tan inmundo medio.

El cuerpo de Juan no conocía el agua sino cuando, por una rara casualidad, un chubasco imprevisto caía sobre sus piltrafas de ropas. Sus enmarañados cabellos, semicanosos, estaban aprisionados por una gorra de presidiario, sin color por lo mugrienta y sucia, de tanto tocarla; un calzón de desecho, vendido por el almojarife, cubríale de la cintura a las rodillas, y de éstas a los pies, unas que fueron medias servíanle para no dejar al aire más que parte de las pantorrillas, llenas de vellos y costurones. Los pies metidos en unas rotas alpargatas descubrían unos calcañales limpios y rojos por el roce continuo con el suelo.

La mugrienta camisa, sin botones, sin cuello y sin mangas, dejaba ver el huesudo y velloso pecho, con manchas rojas, y el aditamento de la vaina de un cuchillo de punta, en el cinto, completaba la vestimenta del cantinero. Aquella arma era cuchillo, puñal, tenedor y cuanto hubiere menester.

La negra Dolores, con las greñas al aire, mal pergeñada con una falda recortada por el desgaste, con un camisón desgarrado, dejando asomar al viento los caídos pechos, perennemente mugrienta por el trabajo, iba, diligente, durante el día, sin detenerse, de la cocina a la casa y de ésta al suelo en que dormía, obediente y cuidadosa por el estímulo de las palabrotas del amo, unas veces, y por las bofetadas del mismo, en otras ocasiones.

No se asfixiaba, cada noche, aquel contubernio, porque el veneno se neutraliza con el veneno; pero, cuando, cerradas y aseguradas las puertas, se tendía Juan en la pringosa hamaca, y ella en el fangoso suelo, los gases que exhalaban ambos cuerpos no arrancaban el techo de guano, porque, por entre las entreabiertas pencas, podían escaparse libremente para esparcirse en la atmósfera del exterior.

V

En 1519, la polacra-goleta *Nuestra Señora del Carmen,* capitaneada por Esteban Bariñona, fondeaba junto al cayo existente a la entrada del puerto de Santiago, y al día siguiente, al soplo de la fresca brisa, pudo llegar hasta cerca de tierra, frente a la Atalaya del Adelantado. Un bote arribó a la orilla, y desembarcó al dueño, que era el mismo capitán del buque, quien fué a conferenciar con el Gobernador, para darle cuenta del cargamento que traía a su bordo.

Hubo su junta a toda carrera, y, puestos de acuerdo Gobernador, almojarife, alcalde y regidores, quedó convenida la descarga del buque y la realización del cargamento.

Un cabo de presidio, cuatro soldados, armados de picas, y seis presidiarios, con unas paletas, especies de remos, embarcados en un lanchón chato, bastante capaz, y remando a son de galera, salieron de la playa con proa a la barca fondeada.

Atracaron a la goleta, abrió el buque un portalón, y a empujones fuese echando la mercancía al lanchón. Se componía ésta de setenta y ocho negros, traídos del Continente africano, para ser vendidos en Cuba: entre ellos venían ocho hembras.

Desnudos como la naturaleza los creó, lo mismo los unos que las otras, pisaron tierra, y fueron dirigidos hacia la Plaza de Armas. Subieron la cuesta precisa para llegar a ella, y como rebaño inconsciente e insensible, marcharon acompasadamente, reluciéndoles la negra piel, húmeda del abundante sudor que les chorreaba por el cuerpo.

—¡Y cómo apestan los demonios!—fué el saludo que, al hacerles poner en fila el cabo de varas, obligándoles a sentarse en cuclillas, les hizo una mujer flacucha, de tipo gitanesco, hembra al servicio del presidio, a la vez que les mostraba la señal de la cruz, con los dedos de ambas manos. —¡Para espantar al espíritu malo!—añadió, indicándoles más a la curiosidad de los que les miraban como animales raros recienllegados.

Los varones fueron repartidos y adjudicados fácilmente, siendo bien pagados al hombre, especie de ogro peludo, que los trajo. Entre los cuatro que escogió el tesorero Lope Hurtado figuraba el que después fué conocido con el nombre de *Taita Congo: Taita,* por ser algo viejo, y *Congo,* por ser éste el nombre de la región africana de donde procedía.

La dificultad de la venta se presentó con las negras. Nadie las quería, pues dióse en suponerlas débiles para los rudos trabajos del campo o de las minas a que eran destinados los esclavos. Con muchos esfuerzos fueron vendidas a bajos precios seis de esas criaturas, y quedaron dos que nadie quería: una, por ser algo vieja, y la otra, por parecer enferma, canija de la larga travesía.

Miraba Juan la realización de los esclavos sin más interés que la mera curiosidad, hasta que el capitán Bariñona, fijándose en tal indiferente, se fué a él, se le encaró y le increpó con un: —¡Oye tú, borrego, te las vendo!—Rascóse la gorra el andaluz, y, como mofándose del dicho del capitán y, pensando chasquearle, le contestó con sorna: —¡Buena va; tomo una de las *do a escogé*. —Aceptado. ¿Cuánto das?—Volvióse a rascar la cabeza, y deleitándose con el bromazo y el ridículo en que iba a caer el capitán, continuó: —*Verá uté*... le doy por una de estas burras lo que vale... dos guarros... a punto de *beneficiá*... ánima por ánima. —¿Y cuánto valen los dos guarros?—preguntó con tonillo harto zumbón Bariñona, dispuesto a darle una lección al petulante andaluz. —*Pué*... valen, *camará*, veinte castellanos *ca uno*.—Y se quedó como en espera del efecto que había de hacerle al capitán.

El capitán había logrado vender los negros a razón de ciento cincuenta pesos cada uno, y obtenido solamente la oferta de cuarenta pesos por cada una negra, y esto le satisfacía. Hombre resuelto, semipirata, acostumbrado a batallar con la mar y con los hombres, para él no había descanso posible, y a toda costa le precisaba recabar la realización para marcharse en seguida; su negocio era vivir en el mar y aprovechar sus correrías en toda piratería que se le ofreciera. Por eso, a la proposición de Juan, fuese a él, y fuerte y robusto, agarrándole por un brazo y llevándole casi a rastras hacia las dos negras, de un solo tirón, y sin darle tiempo a determinar otra cosa, ni poder retirar la oferta, exhibiéndole al corro de testigos que palmoteaban la acción, le dijo, con gruesa carcajada: —¡Daca; tuya es la burra!

—¡Mal rayo me parta!—fué la exclamación de cólera del andaluz, al ver que la broma le había salido veras; no había remedio: el trato quedaba cerrado. Dando vueltas y revueltas, escogió a la más joven, arrimóle, como señal de posesión, dos porrazos, y con rayos y centellas, y a empujones, la llevó hasta su casa: aquella negra era Dolores, que resultó ser hija del Taita Congo.

—Señor de Hurtado—dijo Bariñona al tesorero de la Colonia, guiñándole un ojo—: ¿qué le ha parecido la jugada al tío andaluz?

—¡Bien cogido!

—Mire, don Lope, le regalo la otra; para algo habrá de servirle.—Y así quedó liquidada toda la mercancía de la "Nuestra Señora del Carmen".

La bestia despertaba en el hombre. Juan, el contrabandista, pirata jubilado por la vida colonial; de adormecidos instintos por la fuerza de las circunstancias; sujetos sus arranques brutales por el rigor militar del presidio en que residía; comprimidas sus pasiones en lo más recóndito del alma, a pesar de no haber tenido jamás más freno que el azar de la victoria y de su voluntad indómita; de brazo presto a armarse con el puñal asesino contra aquel que se opusiera a su rapiña y le disputara la posesión de un botín, por codicia o por lujuria;

agarrotados y adormecidos tanto tiempo sus nervios por la inacción, faltos de otros seres con quienes ejercitarlos, estremecióse al contacto de la carne dura de la hembra salvaje que, a empellones, en su despecho, iba llevando a su chiribitil.

—¡Buena presa, Juan!—le gritaba el bergante a quien hallaba al paso, y la frase: —¡Buena presa!—aunque dicha en tono canallesco, fué taladrando aquel cráneo, vacío de ideas generosas, y haciendo revivir en el cerebro el recuerdo de orgías del pasado, y acelerando los latidos de su corazón con inusitada violencia.

Su amigo, el cabo, el tuerto Gaínza, esperólo junto a la vereda cercana al tenducho, y esperóle asombrado de lo que veía y se decía: —¡Se habrá vuelto loco Juan!—Y apenas enfrentó con él, examinando al detalle las desnudas carnes del cuerpo de la esclava, le dijo con un guiño del ojo bueno y con una mueca obscena: —¿Juan, te has vuelto señor? ¿A dó vas con esa hembra?

Entre dientes gruñó el cantinero, con tono duro y de mal humor, empujándola sin detenerse: —¡Deja, Gaínza; me han *reventao* con este trasto!—Y siguió andando a más y mejor.

Poco camino tuvo que recorrer; tiempo más largo hubiérale sido imposible continuar; no se poseía ya, y el tigre, en posesión de la segura presa, se desesperaba por la tardanza en devorarla. Sentía que crujían sus dientes y se relamía los labios al dulzor de la sangre que había de correr... Temblaban sus manos y no acertaba a introducir la llave en el cerrojo de la puerta para abrirla prestamente; logrólo, al fin, tras corta brega, y, tomando a la negra por un brazo, la lanzó al interior. De un golpe cerró la puerta, y en una oscuridad completa, envueltos ambos en el aire mefítico del cubil, apoderóse de ella, arrojóla sobre el mostrador, y ebrio de lascivia, hizo gala de la propiedad adquirida, clavando en ella sus asquerosas garras y poseyéndola con la brutalidad de la bestia hambrienta...

El tiempo fué enervando ese comercio, que negó siempre Juan, sin que pasara inadvertido para nadie, ni para el mismo Taita Congo.

Este le decía a su hija, bautizada Dolores: —*Amo tuyo vive contigo.*—Dolores se encogía de hombros importándole poco el dicho: —*Amo tuyo vive contigo, Dolore*—le repetía el Congo. Hostigada, entonces, respondía, encogiéndose de nuevo de hombros: —*Verdá. ¿Qué importa mí?*—Y era tal réplica la mejor manifestación de la impasibilidad del ser inculto, habituado a una total esclavitud desde su nacimiento.

La Dolores, llevada y traída por la chusma de la colonia, sentíase contenta con su suerte. ¿Qué más quería? Su existencia, en Africa, no había sido mejor, y la vida del salvaje en campo abierto, con todos los peligros de la barbarie sin freno, se había transformado en un salvajismo suave, a merced de un solo amo, sin correr los riesgos de ser prisionera de guerra, martirizada o devorada.

La negra aprendió prontamente todas las palabras obscenas que oía, y su lenguaje fué el de aquella gente que se entretenía en enseñarla tales indecencias, que ella articulaba a su manera, como una interesante diversión; interjecciones soeces que se le hacían repetir entre los aplausos y las risotadas de la chusma.

Al año y medio de estar en la tienda, la esclava de Juan *el Andaluz* dió a luz una niña, y, ¡cuánto barullo se armó! ¡cuánto dislate! La niña era una mulatica; negaba Juan su paternidad, y aunque a Gaínza y a Perete se les achacaba también, tuvo *el Andaluz* que conformarse con ella, y se conformó fácilmente, formando cálculos para lo futuro, cuando podría vender a la hija por lo que había costado la madre: todo era negocio.

Taita Congo, que se convirtió en un fiel trabajador para don Lope Hurtado, suplicó a su dueño y a su dueña que sirviesen de padrinos a la reciennacida; eran personas buenas, aceptaron, y bautizáronla con el nombre de la madre, Dolores, y se la distinguió con la variante familiar de *Lola.*

Seis años después, Taita Congo, tras una grave enfermedad que puso en peligro su vida y que le dejó renco de una pierna, obtuvo de sus amos una libertad relativa: el permiso de trabajar por su cuenta en la ciudad, pagarles un jornal, y vivir fuera de la casa.

Este último derecho lo adquirió echándose de rodillas a los pies de su señora y suplicándole, con ferviente amor de abuelo, que le permitiese fabricar un bohío junto a la tienda de Juan, amo de su hija Dolores, para tratar de hacerse cargo de su nieta Lola, brutalizada, por el que todos suponían su padre, con la misma fiereza con que trataba a Dolores.

No le importaban al viejo los golpes dados a su hija; pero los recibidos por su nieta, herían su corazón horriblemente, y creía que llevando a Juan, todos los días, algo de provecho, *ajes*, viajacas, frutas, podría aplacarle y lograr mejor trato para la criatura, alma de su alma, ya que, hasta ahora, había él logrado no ser tratado con mala voluntad por el tendero, por los servicios que le prestaba gratuitamente, ayudándole en cualquier trabajo.

Y así había realizado el negro la idea concebida. Con paciente labor consiguió Taita Congo domeñar un tanto a aquel animal cerril, lográndolo sólo a medias, por la proximidad de su vivienda, prestándole la mano en obras lucrativas, como fueron, primero, ayudarle en la matanza de cerdos y en el ensanche del patio, y luego, regalándole canastos de bejucos guaniquiqui, que el otro sabía vender fácilmente y bien, y construirle y remendarle, además, las nasas para la pesca, labores por las cuales tampoco le cobraba.

Así corrieron los días, y con los días, los años. La cabeza de lana blanca del negro Congo era acariciada y mirada con verdadero cariño por la mulatica, desnudita en pelota, bonita, aunque sucia, conformándose el abuelo con besarle las manecitas y las piernecitas, como si no se atreviera a poner sus gruesos labios en la amarilla y fina piel de las mejillas de la nieta.

El tendero, cuantos más días pasaban, tornábase más rapaz, acaso porque, envejeciendo, su debilidad senil desarrollaba en él los instintos de la rapiña, y así degeneró en jugador de mala fe, cuando podía pasar inadvertido, y a hurtadillas adueñarse, con ligereza de manos, de pedacitos de metal, oro, según decían, robado en las fundiciones por los empleados en ellas. Aumentábase con esto su capital, lenta pero seguramente, y tenía buen cuidado de que no se supiese si tenía o no tenía algún caudal, y, en todo caso, dónde pudiera tenerlo escondido, si es que lo había. Aquella covacha sin luz, en cuyo interior nadie penetraba, tenía el mejor guardián de sus recovecos en su mismo amo, ex-bandido temido y respetado.

Taita Congo se había hecho un hábil confeccionador de alfalacas de cuero crudo, sandalias con tiras del mismo material, para hombres, y de zapatillas de mujer, elaboradas de fragmentos de lona recogidos de las velas desechadas por las embarcaciones llegadas al puerto. A estas zapatillas las embellecía ribeteándolas con tiras de color rojo o azul, que indistintamente cortaba de telas anchas de esas pintas y ajustaba a tales especies de zapatos bajos.

La intimidad con su hija Dolores había aumentado naturalmente con la perenne vecindad, y aunque sin extremado cariño ella le guardaba la obediencia y la sumisión ciega del salvaje al autor de sus días.

En una de las tantas veces en que pudieron hablarse sin testigos y libres de ajenos oídos, llamó Taita Congo a Dolores y le insinuó la norma de futura conducta que debía mirar como un deber sacratísimo.

El negro, en aquel instante, tomó aire de soberano que se impone, y le dijo muy bajito, a pesar de estar solos: —*Dolore, tú ser mu bruta y tú tiene que queré tu hija aunque bruta tú ere. Amo Juan ma bruto que tú; mejó. Tú tiene obligació mirá po tu hija; tú mira donde amo tuyo guarda plata suya. Tú ve, tú calla. Tú dise mí, yo calla. Amo tuyo quiquiribú un día, tú avisa mí. ¿Tú entiende?*

—Sí, Taita; yo *entiende*.

—¡Jura, *Dolore!*—agregó el viejo lleno de majestad.

—¡Yo *jura!*—respondió la negra, y puesta la diestra del Congo sobre la cabeza de su hija, pareció bendecirla y pedir a sus dioses amparo y bendición para aquella que, al cabo y a la postre, era carne de su carne.

Dolores era veradaderamente el nervio del trabajo del cantinero Juan. Cocinaba y lavaba ropas, y Juan era el que recibía la retribución que ganaba ella, y para mayor seguridad contra las trampas, el mismo cantinero, sin fiar en nadie, era el que cargaba, repartía y cobraba el lavado de dichas ropas.

Y este era el momento en que el tuerto Gaínza, el amigo predilecto de Juan, aprovechaba la ocasión de la ausencia del amo, brutal y consentidor de todos los abusos, con tal de que le fuesen retribuídos, para obtener los favores de la hembra esclava. Jamás puso Dolores inconvenientes para nada. Cualquier lugar era bueno, aun en la misma cocina, de pie, adonde se llegaba con el pretexto de "encender la cachimba".

Ningún galanteador era rechazado y sus caprichos eran satisfechos siempre que ponía en la mano de la negra alguna dádiva: para Dolores no había dificultades si el pago era por adelantado. A cualquier favor pedido, la pregunta era: —*¿Qué da tú?*—y la respuesta y la aceptación eran el dinero recibido y guardado.

De ese comercio sexual nació Lola, preciosa criatura, que, en medio del muladar aquel, era lirio perfumado, y encanto de su abuelo el Taita Congo.

Cuántas veces, al llanto de la criatura, la arrastraba Juan y se la arrojaba a su madre, gritándole: —¡Oye, tú, so..., llévatela, que si no la reviento a *patáas, e* porque en cuanto tenga diez y ocho años, se la vendo a doña María, la mujer del factor!

Y era de ver a la bestia Dolores coger a Lola por un brazo, arrastrarla como un trasto por el patio, llevarla al bohío de Taita Congo, y pegándole dos brutales nalgadas, echársela al abuelo, diciéndole: —Taita, haga *callá a esa odiosa.*—Y al recibirla el cariñoso abuelo, gritaba furioso a la hija: —¡Bruta, *ma* que bruta mulo cerrero!—Y ella replicaba brutalmente: —*¿Cuando miamo Juan pega mí po su culpa, su mercé coge lo golpe?*

Y el Congo, con sus dedos toscos, encallecidos

por el trabajo, con una delicadeza inconcebible, le limpiaba las lágrimas y los mocos, estrujando luego los dedos en sus calzas, y para que callara, le daba retazos de cuero y de telas y pedazos de tacones, que echaba a rodar por el suelo, para divertirla, como ágiles ruedecitas.

A las dos de una tarde estalló una tormenta de brutalidad en el tenducho. Desde la víspera estaba Juan de un humor insufrible; jugó a la brisca, como de costumbre, y no pudiendo usar de sus malas artes, perdió; y en ese mismo día un truhán, más astuto que él, le había hecho una jugada de buena ley entre pícaros: le había hecho aceptar un pedazo de cobre como si fuera de oro legítimo, haciéndole caer en el garlito al ofrecerle la venta por la mitad de su valor. El vendedor le hizo creer que el mineral era producto de un robo audaz, que había que ocultarlo mucho, y de ahí el bajo precio.

—¡Bandido! ¡Ladrón!—tartamudeaba rabioso.—¡Si llega a caer en mis manos...!—y hacía la señal de hundirle el arma que blandía en las manos.

Picaba el mostrador clavando el cuchillo en la tabla, y con el furor de un alma renegada, echaba por la boca sapos y culebras. Dolores no se atrevía a respirar, escondida en la cocina, y Juan desahogaba su rabia contra toda la corte celestial con una verbosidad cada vez más llena de dicterios indecentes y sacrílegos.

El cuchillo era de punta, instrumento con el cual pinchaba los chicharrones para el despacho, escamaba las sardinas asadas, cortaba las butifarras y hasta beneficiaba los cerdos. Prohibido el uso de armas a quienes no tenían el derecho de llevarlas, sólo se les permitía a algunos, como merced especial, para necesidades de la industria y del trabajo. Y aquel instrumento, que en tal acceso de coraje, por el engaño sufrido, empuñaba fuertemente, y el cual clavaba en el mostrador, como para desahogar su ira, le servía a Juan para múltiples usos. Con el cuchillo se rascaba las manos, cortaba tabaco y raspaba la suciedad de las mesas. Al sentir picazón en un tobillo, poniendo el pie sobre el borde de un cajón, entretúvose en rascárselo, e inconscientemente, como cosa muy natural e impensada, pasóse el filo por entre los dedos de los pies quitándose la mugre depositada entre ellos, y después de limpiados así los dedos, daba brillo al acero pasándolo y repasándolo por el borde del mostrador, que, con la porquería descostrada, formaba un pequeño reborde en su orilla.

En uno de esos momentos de lamentación desesperada, púsose a llorar Lola a gritos, por el escozor que le había producida la picadura de unas hormigas, y se desgañitaba junto a la puerta del patio. A los alaridos de la criatura se exacerbó la cólera de Juan, y con toda su ingénita brutalidad, gritó: —¡Dolores!—y agregando dos o tres torpes interjecciones, que era su manera de hablar, dióle un puntapié a la madre y le añadió una buena bofetada, cuando acudió presurosa a su llamamiento y le arrojó la niña al patio, con estas palabras: —¡Perra yegua! ¡Si vuelve acá la mato!—Y continuó a más y mejor clavando el cuchillo en el mostrador de la tienda.

Dióle Dolores a su hija un pellizco con la misma ferocidad con que había sido ella tratada, y llevándosela a rastras, cogida por un brazo, se la tiró a Taita Congo, aplicando a la chiquilla un duro cogotazo: —*Toma, Taita, queda con eso; la reviento, si me deja.* —*¡Dolore*—le gritó el viejo con inusitada energía.—*¡Dolore, cuidao, cuidao conmigo!* ¡Jum!—Y tomando cuidadosamente en brazos a su nieta, le secó las lágrimas, le limpió los mocos que le corrían hasta la boca, la acarició, la entró en su casuca, y sentándose en el suelo púsose a entretenerla con pedazos de trapos, hasta que logró hacerla callar a fuerza de cariño.

Desde aquel día, que a Dolores costó nuevos mojicones más tarde, fueron de gloria los días sucesivos para Taita Congo. Al siguiente de la referida escena, con habilidad sin igual, domesticó a la bestia; le regaló dos pedacitos de oro que el negro, en sus buscas en el río de Holguín, había encontrado; se comprometió con el cantinero a cuidar, vestir y alimentar a Lola, y alcanzó, con esta conducta, lo que jamás había soñado: que su nieta le fuese entregada por completo hasta que llegase a ser una mujercita.

Brilló la codicia en las pupilas de Juan a esa proposición y regocijó su corazón la oferta, porque tras recuperar la pérdida, había realizado un magnífico negocio: economía con no mantener a la mulatica, y además, había hallado una veta que explotar: el cariño de Taita Congo hacia la criatura.

Y hubo un raro contraste en aquellos dos bohíos, próximo el uno al otro. Después de la tempestad de blasfemias, conceptos horribles y golpes sin cuento que en el mefítico tenducho eran notas características de la vida habitual, la tranquilidad, la dulzura y el amor sencillo y puro transformaron el caedizo de Taita Congo, con la llegada de la nieta, en un lugar de bienaventurados.

VII

El Palacio Episcopal era una casa de vulgar aspecto, situada junto a la Plaza de Armas, cerca de lo que se llamaba la Catedral. Nada se le notaba de particular al compararlo con lo que eran los otros edificios pertenecientes a señores hijosdalgo o al Estado, como edificios oficiales.

Era una casa con techo de guano y de paredes de adobes, secados al sol, la mayor parte, y mal cocidos, otros, en hornos imperfectos. Cuatro grandes ventanas, con rejas de madera formadas por tiras irregulares de distintas proporciones y claveteadas en cruceta unas sobre otras, daban luz y aire al interior de la gran choza, y una puerta muy ancha, que imprimía cierto aspecto señorial al edificio, abierta, durante todo el día, de par en par, indicaban a los habitantes de Santiago que aquella residencia era una casa de las más principales de la ciudad.

A ratos, sentado en un escabel de madera groseramente elaborado, y andando de tiempo en tiempo, un presidiario cumplido ejercía las funciones de portero, de alguacil y de criado del señor Obispo, todo en un solo individuo, y perennemente en el zaguán, daba a entender a la población que ese edificio era el palacio del señor Obispo fray Diego Sarmiento.

—"El hombre de malas pulgas"—le denominaban las gentes, y el mote le estaba perfectamente aplicado por su carácter duro y sus procederes truhanescos.

Apenas llegado a Santiago, se mostró tal cual había de ser. El hombre que llegaba trayendo por lema "paz y armonía", y lo que es más, benevolencia y amor para atraer a los indios al seno de la verdadera Iglesia, convirtió la paz en división, el amor en cizaña, y la mansedumbre en violencia y en codicia. En su compañía vino una sobrina, de nombre Clarisa, bastante agraciada, blanca cual un lirio, pobre de carnes y de alegría, cubierto el rostro constantemente por un velo melancólico que jamás se le vió disipado. No daba que hablar de sí, no salía, era de pocas palabras, y éstas, dichas con esfuerzo, como si una grande pesadumbre interna embargase su alma. Solíase designarla con el apodo de "La muda", y se le dió una doble y mala significación al apodo: "La muda del Obispo", porque la murmuración se permitió suponer que, sobrina o no sobrina, la Clarisa era la barragana del prelado. Afirmóse la maledicencia cuando se vió que, a pesar de haber otro lugar donde pudiera hacerlo, fray Sarmiento la había alojado en el mismo Palacio Episcopal, en las habitaciones de un colgadizo del patio, junto al sitio donde también habitaba él. El portero, cuidador del Palacio, dormía, atada su hamaca en el zaguán, como guardián que era de la puerta de la calle.

Para la Santa Inquisición había habilitadas dos

pequeñas habitaciones en el patio, también, muy reforzadas, sin que hasta entonces, por fortuna, hubiera habido oportunidad de emplearlas.

El Obispo, hombre autoritario cual ninguno, sin reparar en consejos de nadie, y cada vez más agrio y más violento, ya con los seglares, ya con los frailes, y hasta con el mismo Gobernador, se había atraído la malquerencia de casi la totalidad de los vecinos, y si allá, en Castilla, lograba ascendiente su despotismo y conservaba respeto su carácter sacerdotal, en Santiago fué completamente nulo su poderío, tanto por la lejanía de los centros inquisitoriales como por ser el Gobernador gran señor absoluto por Real Cédula de Su Majestad. Los lazos y decretos pontificales, severamente aplicados en ambas Castillas, se convirtieron en letra muerta a los comienzos de la conquista, cuando la voluntad del gobernante acataba órdenes que desechaba luego por no convenir al servicio de Su Majestad el Rey.

Fray Sarmiento andaba hacía días muy desazonado, y su última lucha, empeñada con fray Ramírez, había revuelto su bilis y le precipitaba a mayores tropiezos.

Aunque la sala en que tenía su despacho, alumbrada por dos ventanas, era ancha y larga, parecía no serlo bastante para desahogar su coraje, puesto de manifiesto por un andar rápido y a zancadas.

Llegábase a la mesa escritorio, y, apoyándose en ella, abría y cerraba, sin hojearlos, con grandes golpes, dos infolios que en ella había; luego se sentaba, y tomando la pluma, rasgueaba rabiosamente unas minutas, notas seguramente dirigidas a Su Majestad; y después, al clavar la pluma en el tintero, agarrábase la perilla de abundantes cabellos blancos, y moviendo la cabeza en son de amenaza, murmuraba fanfarronamente: —¡Ah!, señor Gobernador, mis quejas irán a Su Majestad cuando haya nao. Ahora nos toca callar, y callaremos, y sufriremos por Nuestro Señor Jesucristo. —Y al invocar el nombre de Cristo se quitó el solideo.—Pero, ¡mi señor Gobernador!, ya llegaremos, y veremos quién habrá de poder más: si nuestra Santa Madre la Iglesia, o el brazo secular....—Y permaneció profiriendo a intervalos:—Ya! Ya!

Dos arcas de madera, aseguradas con aros y cantoneras de hierro acerado, estaban colocadas junto a las paredes, paralelamente a la mesa y a la butaca de fray Sarmiento; a un lado del grueso tintero de cobre había un arenillero del mismo metal, y un poco apartado de éstos, se alzaba, sujeta en su peana, una cruz de madera con la imagen de un Cristo groseramente ejecutada. A ambos lados de la cruz un par de candelabros de cobre, con cirios de cera amarilla, completaban el adorno de la mesa.

El ajuar de la sala de recibo era acabado, según podía serlo en aquel entonces. Al detallarlo, se contarían cuatro sillas de cuero crudo, arrimadas a los muros; unas pinturas al óleo, colgadas de las paredes, representativas de las Vírgenes del Rosario y del Carmen; dos escabeles de madera barnizada; un pequeño escaparate de tablas, sin cepillar, con unos cuantos legajos y libros en sus estantes, y junto a uno de los ángulos de la habitación, dos barrigones tinajones de barro blancuzco, vidriados en el interior, que servían de depósitos de agua. Rozando con los tinajones había una mesita con dos vasos de vidrio puestos en un plato, y al lado de éstos un búcaro de barro y un jarro de loza, que servía para tomar el agua de las vasijas mayores. Detrás del sillón del Obispo, en una especie de hornacina, se ostentaba una imagen, de madera tallada y pintada, de San Juan Nepomuceno, con una pileta de loza ordinaria, al pie, llena de agua bendita, y colgando de este recipiente estaba atado un ramo de romero, que se variaba por otro fresco, tan pronto se marchitaba el anterior, y que hacía las veces de hisopo, cuando fray Sarmiento lo creía necesario.

En toda la habitación aquella, y en el resto del edificio, predominaba el olor a cirios, a incienso, a vetustez, aire que se respira en las sacristías y en las iglesias. En la pared, frente a la puerta de entrada del despacho del Obispo, se apoyaban dos ciriales, al parecer de plata, y el báculo y la cruz que deben preceder al mitrado en las funciones pontificales. Sobre la mesa, al alcance de su mano, se encontraba un grueso bordón, defensa y apoyo de Sarmiento en todas sus salidas.

El año aquel de 1530 parece que había de ser un período en que el Obispo sufriera duramente, y en que experimentara su carácter, dominador y violento, choques rudos y accesos de impotente rabia.

Su altercado con fray Ramírez y la imposición del Gobernador le habían llenado de exasperación, y aunque iba apaciguándose a fuerza de fraguar futuras venganzas, ya escribiendo a Su Majestad, ya haciéndolo a la Real Chancillería, y la calma aparente de los sucesos le inclinaba a creer que quedaban sorteadas las malas situaciones anteriores, por desgracia para él, muy pronto una nueva crisis había de traerle mayores amarguras y pesadumbres.

Fruncía las cejas concentrando las ideas, que, a pesar de su voluntad, le hostigaban, cuando el portero le anunció que a la señorita Clarisa, su sobrina, le precisaba verle en seguida.

—¿En seguida? Anda y dile a la señorita que se llegue acá, que la aguardo.

A poco apareció la sobrina del Obispo Sarmiento, llegóse hasta su tío, y tomándole la mano derecha, depositó en ella un beso. Estaba sencillamente vestida de zaraza, tela casi única de uso general en la villa-presidio, llevando, por modestia y por recato, un gran pañolón de lana, algo amarilloso, que le cubría todo el pecho, y ceñidas las dos puntas por detrás, aseguradas a la cintura.

Clarisa era de color blanco, de ojos pardos y de cabello castaño, sencillamente aderezado y sujeto por un peinecillo de plomo.

—¿Qué deseas, Clarisa?—preguntóle fray Sarmiento con acento reposado, tratando de ocultar el turbión que agitaba su alma.

—Tío, quizás no os agrade lo que voy a deciros; pero no debo ocultároslo, porque se trata de vuestra hacienda.

—¡De mi hacienda! ¿Hay algo más de lo que va pasando? Los diezmos van muy atrasados; parece que todo es una conjura contra nuestra Santa Madre la Iglesia. Los receptores nos vienen con el cuento de que no pueden cobrarse en moneda, que se resisten a pagar en ella, y que se les contesta, atrevida y descaradamente, que la obligación es sólo pagar el tributo con los frutos cosechados. ¿Qué os parece, Clarisa? Y esto hay que suponer que son sólo consejos de gentes empeñadas en hacerme guerra. ¡Ah, señor Gobernador!—Y a esa autoridad echaba la responsabilidad de lo acontecido.

—Pues, tío, nuevos disgustos os vienen ahora: la indiecita Dayamí ha desaparecido, seguramente desde anoche, y nadie da razón de ella.

Respiró el Obispo al conocer tal noticia, alarmado como estaba por la visita de su sobrina, suponiendo que sería de mayor importancia lo que habría de referirle, y, pasándose por la frente un grueso pañuelo de cuadros, le dijo: —¡Ah!, ¿no es más que esto? No os preocupéis por tal cosa. Volverá esa idólatra, porque todos estos indios lo son, a pesar de su aire tranquilo y religioso. Y como quiera que se quedó aquí, y se marcharon sus padres, pues... habrá ido a reunirse con ellos. Se encontrará en las sierras de Coralillos, en las minas de cobre con el alemán Tessel. Vos y yo quisimos evitarle trabajos duros; son ingratos estos indios, como veis, Clarisa, y no hay que guardarles consideración alguna. ¡Duro con ellos! No penséis más en esto, que tan pronto vengan de allá se nos dirá que tenemos un trabajador más en las minas.

Se inclinó Clarisa humildemente, sin contestar; volvió a besarle la mano, y salió con la misma calma con que había entrado.

A pesar de la tranquilidad demostrada, al quedar solo, no pudo el Obispo reprimir un movimiento de ira, y volviendo a su tarea de escribir, murmuró: —¡Se habrán empeñado en mortificarme!— Y siguió rápidamente la tarea principiada.

Dos aldabonazos dados a la puerta de entrada anunciaron una visita, y se escuchó la voz de alguien que le decía al portero: —Anunciad al señor Obispo de que el factor, don Hernando de Castro, ha de hablarle y le pide su venia.

—Voy, seor hidalgo.—Y el portero fué a darle el recado a fray Sarmiento de la visita del factor.

Al oir que el factor venía, por fin, a su palacio, púsose de pie como movido por un resorte, apoyóse en la mesa, y haciendo señas al portero, le dijo muy bajo: —Id, y armaos vos y mis seis sirvientes de buenas varas, y a un grito que yo os dé, duro y sin compasión con él. Ahora, obrad con prontitud, y hacedle entrar. ¡Ya verá el señor factor quién es superior a quién! ¡Ya me las irán pagando!

Salió el portero y le indicó al factor, inclinándose servilmente: —Pase el seor hidalgo. Le aguarda mi señor el Obispo.

Sentado de nuevo Sarmiento, aguardó con una calma estoica, aparentando completa calma, y con sonrisa asaz burlona, le dijo: —¿Por fin, el señor factor, el hidalgo don Hernando de Castro, accede a pisar los umbrales de la casa de un pobre fraile, humilde servidor de Dios, Nuestro Señor, y fiel súbdito de Su Majestad el Rey?

—Señor—respondió el hidalgo acompasadamente—, permitidme que cumpla primero mi deber de cristiano viejo.—Y arrodillándose le besó el anillo.—Vuestros sirvientes me dijeron que queríais verme, y héteme aquí, y de todos modos, era mi intención hablaros, señor, porque a vuestra sombra, y en vuestro nombre, se insolentan vuestros criados.

—¡Que se insolentan mis criados!—Y la iracundia de Sarmiento puso en peligro su fingida calma; pero reaccionó, y con voz un tanto melosa y sarcástica, a pesar de su esfuerzo para dulcificarla, continuó:—¿Y por qué pensáis, señor hidalgo, que se hayan insolentado mis criados?

—Señor, con todo el respeto que debo a vuesa merced, debo manifestarle que, según la cédula de la Real Chancillería, se señala la suma de mercaderías que debo entregar mensualmente a cada uno de los que aquí moramos, en este presidio. Según la categoría, la cantidad.

—¿Y qué más? ¿Y qué me importa lo que me

vais refiriendo, señor factor?—exclamó, sin poder contenerse, el Obispo.

—Aguarde vuesa merced, y no se me impaciente, que mi respeto a vos me obliga a referiros todo para llegar a la sinrazón de vuestros criados. Al tenor de la cédula había de ajustarme, y así lo manifesté, y se lo hice comprender al Juanillo y al otro, Risco, que fueron los que vinieron a la factoría por las mercaderías. Les dije que, por la categoría del señor Obispo, cuyas manos besaba, había de servirle al igual que al señor Gobernador, y que tomasen las raciones para seis, según les fuí indicando; pero, apenas húbeles dado esas explicaciones, cuando, con un atrevimiento no visto, con descaro e insolencia inauditos, ultrajáronme con estas o parecidas exclamaciones: —¡Ya os arreglará a vos nuestro señor el Obispo! ¡Conque raciones para seis! ¡Sisáis a mi señor para servir a vuestras barraganas!—Y a estas insolencias, tuve que dar orden a la fuerza, custodia de la factoría, de que los echara. Fuéronse a empellones, amenazándome con que ya lo contarían todo a vuestra merced, y que ya llegarían más luego a vías de hecho, que habrían de hacerme sentir la diferencia que hay entre un servidor de Su Majestad el Rey y un servidor del Rey de los Reyes. Aquí tenéis, pues, señor, mi queja contra las insolencias de vuestros servidores, y pido los hagáis castigar como se merecen.

—Conque, señor factor,—y fué aumentando el tono sarcástico del Obispo—a mis sirvientes, por haber defendido mis derechos, los de su señor dos veces, por ser yo su prelado, pedís vos que se les castigue, y decís que han llegado hasta amenazaros. ¿No es esto?

—No sé si defendían o no a su señor el Obispo; pero sé que faltaron a Su Majestad, faltándome a mí, en el cumplimiento de mi deber.—Y severo y con cierta autoridad, añadió: —Fiel hijo de la Iglesia, no debo discutir con vuesa merced. Voime a retirar; perdonadme, señor, si habéis hallado dureza en mi hablar, y permitidme, señor, que os pida perdón y os bese el anillo.

—Bien, don Hernando, bien hacéis; humillaos en buen hora que bien lo habéis de menester.—Y en tanto que el factor ponía una rodilla en tierra, le tomaba la diestra, y aplicaba a ella sus labios, agarróle el Obispo la mano, con todas las fuerzas que pudieron reunir sus tenazas de nervios, duplicadas por la cólera concentrada que le ahogaba, y dando dos silbidos fuertes y cortos, le repitió con energía: —¡Bien habéis de menester penitencia, señor Hernando de Castro, y vais a recibirla de las mismas manos de vuestro señor el Obispo!

Seis jayanes, que jayanes eran con aspecto sacristanesco, invadieron la habitación, se abalanzaron sobre el factor, y vareáronle de duro, estimulados por el fraile, que no cesaba de gritarles: —¡Duro con él, que ha de menester el señor factor grande y ejemplar penitencia!—Y lanzaban chispas sus ojos, y su color cetrino verdeó más aún.

El factor, sin defensa, daba gritos al dolor de

los golpes de aquel inaudito atropello, y a uno mayor y más doloroso, recibido en la cabeza, sin poder huir, continuó a más y mejor: —¡Auxilio! ¡Aquí del Rey, que me matan! ¡Aquí del Rey!—Y cuidaba de cubrirse la cara, agachándose y llevando los brazos a la cabeza.

Hubieran acabado, quizás, con él, si una voz fuerte y enérgica no se hubiera hecho oir, y una espada desenvainada, dando mandobles a diestro y siniestro, no hubiese acorralado a la chusma aquella detrás del Obispo, como en busca de protección.

—¿Qué es esto, so bellacos? ¿Qué es esto, señor Obispo? ¿Son estos vuestros procederes? ¿Así matáis a los súbditos de Su Majestad?

—Señor de Ortiz—balbuceó furioso fray Sarmiento.—¿Cómo os introducís en mi palacio, espada en alto, y, en mi misma presencia, atacáis a mis gentes?

—Señor Obispo, ¡basta de altanerías y de soberbias! ¡Basta ya de querer hacer vos, en este presidio, lo que os plazca!

—¡Señor de Ortiz, en mi palacio soy dueño y señor, y lo soy en la iglesia también! ¡Me hago justicia! Y no consiento faltas de factores, ni de...

—¡Callad, os digo! Y no continuéis por este camino, que no sois vos competente para aplicar justicia. Mandaréis en vuestra iglesia, y esto, según y cómo, y de allí afuera manda el señor Gobernador. ¿Lo entendéis? Y en todo caso, yo, el Alcalde. Y tenedlo entendido: no es don Bartolomé de Ortiz quien os habrá de consentir atropellos ni felonías. Pasad delante, don Hernando. ¡Atrás, menguados!—Y envainando la espada y lanzando una mirada de reto al Obispo, salió muy despacio, deteniéndose en el umbral de la puerta para lanzar otra mirada iracunda a fray Diego Sarmiento y otra de desprecio a sus criados.

Quedóse el Obispo pálido y sin habla, dominado por un paroxismo de rabia; sus manos agarraron con fuerza los brazos del sillón; los ojos, grandes, dilatados, abiertos, como espantados de lo que vieran, le giraban dentro de las órbitas, y seca la garganta por la ira, no pudo emitir sonido alguno, y se sintió sin fuerzas y abatido al mirar cómo se le escapaba su víctima.

Quiso levantarse, y no pudo; quiso moverse, y sus miembros se negaron a obedecerle, y permaneció clavado en su lugar. Los suyos le miraban aguardando una orden, que no pronunciaba; vieron que al color subido del rostro sucedía una palidez mortal; alarmáronse, miráronse los unos a los otros, y al determinarse a auxiliarle, cayó pesadamente al suelo.

Recogiéronle prontamente, sentáronle en el sillón, y en tanto que le daban aire los unos, saliéronse los otros gritando: —¡Señora Clarisa, acudid de priesa; al señor Obispo le ha dado un soponcio! ¡Agua, agua!

Al paroxismo de ira, perdido el sentido, había seguido una especie de congestión cerebral.

VIII

Dura y escandalosa era la vida en la ciudad de Santiago, presidio con pretensiones de ciudad. Todo el que venía de las dos Castillas con una credencial, y los que venían acompañándoles, ya como servidores o ya como agregados, traían a las tierras reciendescubiertas un solo fin: el buscar y el encontrar oro.

Eran mentiras las protestas humanitarias; mentira el afán de arrancar idólatras de su error; mentira el amor a la bandera y al Rey. Fórmulas eran de los labios, y con ellas se ocultaba la maldad que fermentaba en los cerebros, la maldad anidada en corazones de bandidos, salvo contadas excepciones.

Una guerra sorda existía entre aquellos conquistadores y expoliadores de América, y muy contados eran los que, aparentemente siquiera, se profesaban franca amistad o simpatía. El disimulo y la hipocresía encubrían, por regla general, la infamia de los sentimientos, y apenas apartados de sí dos hidalgos, después de una amena y cordial conversación, al encontrarse uno de ellos con otro hidalgo, y entablar, con la misma familiaridad, igual coloquio, se despedazaba, a fuerza de chismes y maledicencias, la honra del amigo y compañero con quien acababa de departir uno de ambos difamadores.

El Obispo Sarmiento, engreído por su alto cargo y basado en la supremacía de la Iglesia, quería imponerse a todos y dominar como dueño y señor. El Gobernador no le consentía una sola extralimitación, y no permitía que se le arrebatase el principio de autoridad. Tirábanse los trastos a la cabeza regidores y vecinos; frailes y curas odiábanse de muerte y se perseguían para arrebatarse diezmos y primicias. Los que venían a residenciar a los gobernadores decían de ellos "que consentían pecados públicos, que eran blasfemos, jugadores, amancebados, no cumpliendo providencias ni cédulas; que recibían dádivas, eran parciales y echaban sisas y repartimientos", y las discordias llegaron a tal extremo, suscitadas principalmente por los parciales del fraile Miguel Ramírez y los del Obispo fray Diego Sarmiento, y propagadas entre los mismos regidores, gobernadores y vecinos notables, que hubo varios colonos que abandonaron la ciudad y partieron para Costa Firme en busca de la paz y tranquilidad que no había en la Fernandina.

Algunas damiselas, de la docena que representaban la aristocracia, tomaban parte con su vehemencia en los cuatro partidos en que se atomizaban los colonos: partidarios de Sarmiento, partidarios de Ramírez, partidarios del Gobernador y partidarios de los regidores. Doña Guiomar tenía la habilidad de no inclinarse a favor de ninguno de ellos, y llevada y traída por ambos bandos, recibía, por su prudencia, la censura de los cuatro bandos. —¡Qué se me da a mí!—respondía al que le venía con el chisme de lo que de ella se pensaba, y que para aumentar el escozor de la herida a su amor propio le decía que los que la criticaban, para mayor desprecio, al hablar de ella, la tildaban de: —*¡Esa!*—La buena pasta de doña Guiomar, su desenfado y el convencimiento de su propio valer la hacían responder imperturbable: —¡Esa! *Quié decí envidia...*, y que valgo mucho!—Y su argentina carcajada desconcertaba al cuentista, a quien despedía: —Vaya a *contá a esas lo que dice y piensa doña Guiomá!*

Había paz entre la gentuza; entre soldados y presidiarios, entre negros e indios; éstos no eran seres con el derecho de pensar; eran cosas para ser usadas, y nada más.

Y la murmuración no se circunscribía al estrecho círculo de la colonia, sino que volaba en cartas a Su Majestad, tan pronto como podían ser enviadas por las naos que de aquí partían con dirección a Sevilla. El regidor tesorero y don Lope de Hurtado se lamentaban del estado de las gentes escribiendo: —"Venga justicia, porque no es sufridera tierra do no la hay."—Y se hacía más explícita la denuncia con estas frases: —"El Gobernador y el Obispo no cumplen cédula alguna de Vuestra Majestad si no les acomoda. La isla está perdida de indios alzados. El Gobernador Guzmán trata tan mal a los indios, que se le ahorcan de veinte en veinte.''

Y escribía otro: —''El Obispo, aunque vino conmigo, se ha ligado con el Gobernador para que le dé indios.''

Y las quejas iban a Castilla con más abundancia que el oro fundido que se solía remitir, y a tanta distancia, cuando llegaban, no sabía la Real Chancillería a quién dar crédito, ni a quién atender primero.

—''Los vecinos llenos de miserias y deudas.''

—''El Obispo y el Gobernador Guzmán, e sus cuñados e allegados, todos a una contra el Cabildo y oficiales de Vuestra Majestad.''

¡Y el Gobernador y el Obispo no cedían ni cesaban en sus rencillas!

Y quizás hubieran tomado las discordias de los colonas proporciones gigantescas, sin percatarse de la total ruina a que arrastraban a Cuba, si un asunto de común interés y gran peligro no les hubiese reunido en un solo haz y obligádoles a suspender sus contiendas y sus rencores.

IX

En esa época ya se sublevaba el indio. Su mansedumbre, su paciencia, sus deseos de ser agradable a los huéspedes desconocidos, habían sido infructuosos, y se habían estrellado al contacto de la codicia, siempre en aumento, del ávido conquistador.

En vano se habían prestado humildemente los indígenas al bautismo católico, rito incomprensible para ellos; de nada les sirvió la gran devoción a la Virgen María; infructuoso les fué el haber aprendido a recitar con unción el *Ave María;* nada lograron con cambiar sus cemíes por el Cristo Redentor, y llevar colgadas al cuello medallas benditas de imágenes de santos de la Iglesia Romana. Habían elevado los ojos al cielo en busca de remedio para sus males, y los tormentos de sus crueles perseguidores les obligaron a tornarlos a la tierra y a fijarse en la dura realidad de la vida.

Espíritus fatalistas y supersticiosos, aceptaron como castigo justo la ruda labor que les imponían los castellanos; bajaron la cabeza domeñados, y volviendo sus energías contra sí mismos, buscaron, por otros medios, la libertad y la independencia que se les escapaban, y las hallaron entregándose en brazos de la muerte, colgándose de los árboles en sus bosques seculares.

Mas no todos se aferraron a una paciencia inagotable. Los tiempos habían señalado nuevos derroteros a aquellos que quisieran ir a reunirse en mejor lugar con sus antepasados, en mundo mejor, no con la abnegación negativa y sublime del sacrificio de la vida por su propia mano, sino con la valentía altanera del que se siente rebelde, y, al inmolarse, quiere desaparecer lleno de grandeza y de amor a su patria, cayendo frente a frente del enemigo malvado, y perecer, dando la muerte o recibiéndola gozoso.

El traidor había surgido también, exótico y casi espontáneo; el salvajismo inocente e idólatra del indio sólo sabía producir víctimas y mártires; la civilización de los conquistadores, posesora de la verdadera fe, trajo, con su progreso, sentimientos de maldad y vileza, y la traición puso su planta en la joven *Cubanacán* tan pronto hubo ocasión de hacerla germinar.

Alarmadas las autoridades por la creciente intranquilidad en los campos, convocaron a toda prisa a los señores regidores, a las personas de valía y a cuantos pudiesen ilustrar y aconsejar; el peligro era común, y ocultaron temporalmente en lo más recóndito del corazón sus implacables rencores para ocuparse sólo en el bien procomunal. Sacerdotes y frailes también acudieron al llamamiento.

Había llegado un emisario con malas nuevas, y, por dos veces, los indios, refugiados en los bosques de Baracoa, habían destrozado a las fuerzas castellanas. La noticia era grave, el peligro inminente y había que resolver qué medidas se adoptaban.

Juntáronse en el Cabildo el Gobernador Gonzalo Nuño de Guzmán y el Alcalde don Bartolomé de Ortiz, el Obispo fray Diego Sarmiento, los hidalgos don Hernán Gutiérrez Calderón, don Francisco Perea, don Juan de Aguilar, don Francisco de Azua y varios regidores y oficiales de las fuerzas armadas. Entre estos últimos figuraban Antonio Baena y Rodrigo de Tello, quienes no podían faltar, especie de alféreces los dos aventureros, sin estima alguna, admitidos en ciertas reuniones cuando a ello obligaba el asunto y había armas que tomar.

La convocación había sido hecha con carácter de urgente, y a ella habían acudido solícitos los llamados. La sala del Cabildo, junto a la Catedral y al hospital de la Concepción, en la plaza de Armas, estaba completamente llena.

El Gobernador hizo que acudiese el mensajero acabado de llegar, y dió cuenta del motivo de la reunión diciendo: —Nos hemos juntado para resolver sobre el remedio de un grande mal,—y tornándose al enviado, le ordenó imperativamente: —¡Hable el soldado!

El soldado mensajero, con grandes fatigas y cansancio, por el largo camino recorrido a toda prisa, se limitó a repetir sobrecogido: —El cacique Guamá, con una banda de los suyos, y otros alzados en

Baracoa, unos cincuenta indios, ha derrotado a las tropas; y se ha refugiado en los bosques de Arimayey, donde se ha hecho fuerte. Apalencados en las sierras fragosas, tienen labranzas, y no tienen temor de ser sojuzgados, y desafían a que se les pueda dar alcance, y los indios matan impunemente.

Un estremecimiento recorrió la asamblea, hubo coraje entre los asistentes, y muchos llevaron la diestra al puño de la espada.

El Gobernador hizo ademán de que se le prestara atención antes, para que luego cada cual pudiera dar su clara opinión, para el mejor servicio de Su Majestad: —Sabéis que hemos de tomar resolución firme y capaz de concluir de una vez con los males que nos agobian; si éstos fueran solamente a Nos, no nos importaría, que la vida de un castellano pertenece a su Rey y Señor, y es nuestra divisa la defensa de sus territorios y la extirpación de las herejías.—Y con un fuerte grito, como queriendo imponerse, por si alguien fuese a dudar de sus resoluciones, voceó, dando una puñada en la mesa:—¡Por esto y para esto estamos aquí! Sabéis que el indio, por el mal ejemplo de los otros, está en disposición de alzarse por dondequiera, y mucho más si no se cumplen las providencias de Su Majestad.—Al pronunciar el nombre de Majestad, cada concurrente se puso de pie y llevó la mano derecha a la cabeza, en señal de respeto.—De poner en libertad a los indios vacos, volverán a sus vicios e idolatrías, y no pudiendo sustentarse por su incapacidad, faltos de mantenimientos, perecerán de hambre. Ya sabéis que en virtud de lo mandado por Su Majestad, yo, como repartidor de indios, para hacer experiencia dellos, si tienen capacidad para vivir por sí en plena libertad, llamé a ciertos indios vacos de la villa de San Salvador, y por medio de Pedro Rivadeneira, que sabe su lengua, les hice decir la voluntad de Su Majestad: que viviesen ni más ni menos que labradores de Castilla en pueblo por sí, con su capellán que los adoctrine y administre los sacramentos, que desde luego estarán por sí, y con ellos el clérigo presbítero Domingo Guerrero. Sabéis que respondieron los indios que querían venirse junto al pueblo de San Salvador del Bayamo; hacer allí su pueblo e conucos, y sacar oros para el Rey, y pagar diezmos a la Iglesia. Sabéis que hay que hacer que trabajen y granjeen, en sus conucos, maíz, algodón, puercos, aves, y que sólo en las fiestas habrá de permitírseles celebrar sus areítos. E sabéis que luego hubo sublevación de indios en los términos de las villas del Bayamo y Puerto del Príncipe. Pero, después, los indios *cimarrones* se alzaron otra vez con mayor detrimento e atrevimiento, e comenzaron de hacer mucho daño en españoles e indios, especialmente en la villa del Puerto del Príncipe, donde quemaron el pueblo de los españoles. E sabéis que todas las veces que desta ciudad se envió cuadrillas de españoles, en seguimiento de los indios alzados, jamás se ha sacado buen fruto, e cada día hacen mucho daño e muertes de españoles e negros, como ahora nos relata el mensajero. E para esto os he llamado. Resolved, y resolved presto.

Callaban todos, y fuera que lo referido les produjera estupor o que el discurso del Gobernador llenara de sobresalto el ánimo de cada cual, no hubo de momento quien tomara resolución para llegar a un acuerdo.

Cuchicheaban entre sí los aventureros Baena y Tello, estrechamente ligados hasta en sus picardías, cuando Baena, puesto de pie, pidió venia para hablar.

No era bien quisto ninguno de los dos, y cuando no se les miraba con desprecio, se les veía con indiferencia. Midió el Gobernador con ojos altaneros a Baena, parecióle que era osadía pedir venia para hablar gentes de esa calaña, y hubiera vacilado en permitirle hablar, si la solución del conflicto no hubiese sido perentoria, y no estaba, por lo tanto, de más escuchar a todos. Así que, con voz bronca, le gritó: —¡Hable el soldado!

Apoyada la diestra en el pomo de la espada, respetuoso y mesurado, disertó el aventurero: —Señor Gobernador y señores hidalgos: perdemos hombres, no por falta de energía y de valor; los perdemos por luchar con cobardes, follones escondidos en enmarañados bosques. El castellano es leal en la lucha, como en la paz, y pelea de cara al Sol; el indio es cobarde y traidor, y pelea en la oscuridad de las marañas. Hagan vuesas mercedes una prueba; busquemos cobardes para cobardes, y en caso de una derrota, nada se perderá; el daño será sufridero a ellos mismos. Armemos indios contra indios; hagamos una cuadrilla, y hagamos otra experiencia; salga una cuadrilla de indios, escogidos por buenos en los pueblos cercanos a esta ciudad; déselos todo lo necesario para la guerra, e señáleseles partido que ganarán cada mes. Vayan rastreando e buscando, e ellos hallarán. Conozco indios que quedarán honrados de nos servir, e, pagándoles bien su brega, contentos habrán de quedar por nos haber ejecutado bien nuestros mandatos.

—¿E quién responderá del jefe, e quién le buscará?

—Yo, señor, si vuesa merced y los señores hidalgos lo acordaren.

Ordenó el Gobernador a Baena, a Tello, al mensajero y a todos los que no fuesen hijosdalgo que saliesen del Cabildo y aguardasen la resolución en las afueras. Saliéronse todos, y el Gobernador, el Obispo y los regidores fueron poniéndose de acuerdo.

El Alcalde fué el primero en hacer inclinar la balanza hacia la idea de Baena, y fué preconizada por todos como idea salvadora lo indicado por el alférez aventurero: —Nada habráse de perder en caso de un desastre, y cuantos menos queden, mejor estaremos: con los buenos y con los malos son los mismos males. Señor Gobernador, ejecutad sin consultarnos; tomad toda la reserva debida, pues bien conocéis el espionaje de esos herejes.

—Sabed, señores hidalgos, que las cajas están

exhaustas—agregó el Gobernador—y una cuadrilla de rancheadores hay que pagarla, y pagarla bien.

—Señor Gobernador, haced que corra la sisa hasta sacar della quinientos pesos, e con esto se cumplirá como leales servidores de Su Majestad.

—Bien está, señores hidalgos, y de ello daré buena cuenta a nuestro señor, Su Majestad el Rey.

Saludáronse militarmente, y sola ya la sala del Cabildo, mandó llamar el Gobernador al alférez Baena, y encarándosele y mirándole fijamente de hito en hito, le preguntó, conociendo bien la codicia de cada cual: —¿En pago de vuestros servicios qué pedís vos?

A lo cual replicó Baena con el mayor desparpajo: —Con el beneplácito de vuesa merced, el derecho del mayor rancheador,—e hizo un profundo saludo.

—Id—respondió Guzmán despreciativamente.—Traed al indio que indicásteis para jefe de la cuadrilla, y... confiad en el resultado de lo que os habéis de beneficiar.

Volvió a saludar profundamente Baena, a cuyo saludo no contestó el Gobernador, porque un superior no era igual a un subalterno, y menos a un subalterno de la calaña de Baena.

Sigilosamente, muy de madrugada, un grupo de indios bien pertrechados, protegidos por la oscuridad aún reinante, abandonan la ciudad, llevando en el alma traidora la ambición de robar una vida a cambio de un puñado de oro.

El jefe de la cuadrilla recibió confidencialmente del Gobernador instrucciones especiales y secretas, precisándole la conducta que debía seguir con los prisioneros que cayeran en sus manos.

Y, al quedarse solo, se sonreía sarcásticamente, se atusaba el bigote, y murmuraba refiriéndose a Baena: —¡Buen rancheador seréis, so bribón: quedarán colmados vuestros deseos!

X

Hacía ya varias lunas que los bosques parecían estar poblados de fantasmas. Siluetas de indios se perdían junto a los troncos de los árboles y reaparecían más allá, junto a otros. Ya eran figuras que se agazapaban al menor ruido sospechoso, ya eran sombras que se desvanecían apenas un espacio quedaba libre de arbustos y matorrales.

El guamo había estado resonando en las lejanías de manera prolongada y estridente, y, cerca de los poblados, sus notas fueron como quejido de ave que perdió su nido, perceptibles solamente para oídos de salvajes siempre en acecho. El son, en la floresta, murmuraba cual si fuera brisa; semejaba, en las sabanas, hoja seca arrastrada por el viento, y se transformaba en batir de alas del zumzum libador de miel en el cáliz de las flores, al repercutir a orillas de un arroyo; y al reclamo del caracol, fueron juntándose indios y más indios en los bosques de Barajagua, llevando muchos consigo a todos sus familiares, desde los más viejos hasta los más jóvenes.

El instinto de conservación, en unos; la fatiga del vivir, en otros; el odio, en el mayor número, hicieron que fuesen escuchados los sonidos del guamo, repetidos por cientos de otros caracoles, ya indicando la senda que se recorría, ya enardeciendo la sangre de la muchedumbre que había permanecido indiferente hasta entonces.

Las selvas unían su acento al somatén de los siboneyes; el eco de los sonidos que cruzaban las ramas como aire sutil, lo devolvían cual queja recogida y guardada en los bosques seculares, mansión que fué de una raza que desaparecía rápidamente de entre sus árboles espesos y sombríos, y la naturaleza se convertía en auxiliar decidido del indio, haciendo repercutir en la inmensidad, como lejano y ronco trueno, ese trompetear del guamo, siniestro alarido de seres unidos, en desesperada resolución, para lanzarse a una suerte trágica y decisiva.

Se caminaba de día y de noche; nadie obraba sino por su propia cuenta, y, como impulsados por sus irritados cemíes, aquellos indígenas no dudaban ni vacilaban: el corazón les palpitaba por deber y el cerebro les hablaba acusándoles de debilidad.

Así fué poblándose la campiña de indios de Baní y de Maniabo, los primeros en llegar por hallarse más cercanos al lugar de la cita; luego los de Bayatiquirí arribaron con organización militar, trayendo a su frente al cacique Guamá; después se agregaron, viniendo juntos, indios de Maguanes, de Mangie, de Bayamo y de Cueibá, y hasta arribaron algunos de Baracoa y de Guacanayabo. Todos venían con sus armas, pues el corazón les decía que aquella llamada, en que la naturaleza tomaba parte convoyando, con la brisa, las notas del instrumento de guerra hasta los lugares más recónditos, era algo muy serio, y que ello iba a decidir la existencia futura de toda su raza.

El momento de la reunión era llegado; mezclados estaban varones y hembras, y los niños jugaban junto a sus familiares, o, colgados de los pechos de las madres, los pequeños mamaban leche envenenada por las miserias y el dolor.

Hervían en cacharros de barro el ajiaco con alguna jutía, y con yucas, ajos y ají-jijí, en gran abundancia, saturaban el caldo, que había de enardecer más la sangre, si no bastara para ello el recuerdo de las crueldades que, cada cual, llevaba en su alma grabado de manera indeleble.

Cada india fué llevando la ración al jefe de la familia, bebiendo el caldo en pequeñas jigüeras, y, tomando con los dedos los trozos, dieron cuenta rápidamente de lo que debía ser almuerzo y comida, a la vez.

Apenas habían comenzado a humear los *cohibas* cuando, por orden de Guamá, situado sobre un peñasco de jaspe, a poca distancia de un gigantesco cupey, un indio, su amigo de Juraguá, lanzó dos enérgicos gritos guturales: —*¡Bai, bai!*—Hízose un gran silencio, y volvió a repetir: —¡Escuchad, siboneyes! El cacique Guamá habla.—Y extendió el brazo señalando el lugar donde debía estar el indio.

Ansiosos fijaron la mirada hacia el punto indicado, y vieron erguirse sobre la roca, cual una estatua de cobre, la figura robusta y resuelta del cacique Guamá. Su pecho y sus muslos estaban cubiertos de arabescos rojos pintados con bija; un cinturón de majagua torcida, más ancho en el centro que en los extremos, le daba vueltas por las entrepiernas, quedando sólidamente atado por detrás, y le servía para mantener colgados, a ambos lados, dos especies de bolos arrojadizos de madera dura de *jiquí*.

La fuerte macana, del mismo *jiquí*, servíale de bastón en aquel instante, y dábale, al apoyarse en ella, aspecto de mayor arrogancia. Sus cabellos, negros y ásperos, no le pasaban del cuello, y sujetábanse sobre la frente por unas tiras o cintas de majagua, teñidas de rojo también y clavadas en ellas lucían varias plumas de aves, en señal de poderío. Fué mayor el silencio al erguirse ante las diversas tribus reunidas, y recorriendo con la vista la muchedumbre, despidiendo fulgores sus negros ojos, tendió la diestra en señal de alianza y arengóles así:

–Siboneyes de donde el Sol se levanta todas las mañanas; siboneyes por donde se esconde el padre de la luz todas las tardes; siboneyes que vivís en Cubanacán o que os bañáis en el mar: ¡salud! Yo, Guamá, cacique de Bayatiquirí, os he reunido aquí para preguntaros si aún quedan mujeres para vosotros, y si aún están vivos vuestros padres o vuestros hijos; y yo os pregunto, también, si ya tenéis elegido el momento de morir. Por mi parte, todo está resuelto, y antes de marchar adonde voy, he querido despedirme de vosotros, porque en Cubanacán no hemos de volver a encontrarnos. El cristiano, el castellano, es el amo, y ante el amo no hay más que dos caminos: morir por el peso del trabajo y el dolor, o morir por nuestra propia mano con una cuerda al cuello. ¡Escoged!

Un murmullo, leve al principio, y después atronador como el huracán, estremeció el bosque.

—¡Ya no tenemos tierras!—exclamaron los indios de Baní.

—¡Nada queda de nuestros bohíos!—profirieron los de Maguanes y de Menjie.

—¡Nos rebelamos y nos aniquilaron!—articularon los del Bayamo.

—¡Nosotros hemos sido destruídos, pero también nos vengamos destruyendo españoles!—repitieron los de Baracoa.

—¡Bien! Esto quería yo saber. Los que no se conformen con ser esclavos, me seguirán. ¡Behique, tú que nos has bendecido cuando pequeños! ¡Behique, tú que nos has aconsejado cuando grandes, háblanos! ¡En nombre de Cemí, habla!

Todas las cabezas se volvieron hacia el lugar señalado por Guamá para buscar el ser sobrenatural indicado.

El representante de Cemí no podía faltar en ninguna reunión india y menos aún en una de la importancia de aquélla, en que se iba a jugar lo más preciado: el porvenir y la vida.

El behique se encontraba, desde su llegada, en estado de completa somnolencia: en cuclillas, apoyadas las espaldas contra el tronco de un árbol, evitaba el rodar por el suelo. La cabeza, caída sobre el pecho, parecía segada por la muerte. La cara apegada a las dos manos, y los codos clavados en los muslos, manteníase en un estado letárgico tal, que obligó a sacudirle fuertemente para traerlo a la realidad del momento.

Abrió los ojos, como quien despierta de un sueño profundo, sin darse cuenta ni del lugar en que se encontraba, ni de qué era lo que a él le pasaba. Aproximósele un indio, unió la boca al oído del sacerdote y le habló secretamente unas tres frases con entonación de un cantar, y, al terminarse la canción, el behique experimentó un temblor en todos sus miembros que le estremeció profundamente. Levantó la cabeza, miró a todas partes, tendió los brazos a lo alto, y ayudado por dos indios, se puso de pie, y, vacilante y débil, fué adelantando hacia la peña sobre la cual había hablado Guamá. Iba desnudo más o menos como el cacique; en su fisonomía sólo se distinguía la luz de sus ojos negros, profundamente hundidos, en una cara apergaminada, de piel adherida a una calavera. No era un cuerpo aquél, sino un manojo de nervios retorcidos a lo largo de la armazón de un esqueleto; su naturaleza demacrada había llegado al último extremo a fuerza de los ayunos y las largas meditaciones necesarios para poder cumplir debidamente con su carácter religioso y profético.

Lento y acompasado, con ambos brazos pasados sobre los hombros de cada un indio que le servía de sostén, llegó hasta el sitio desde donde debía hacerse oir de todo el auditorio.

Hubo necesidad de que varios otros indios le auxiliasen a escalar la roca, y que luego otros se quedasen junto a él, para que pudiese mantenerse enhiesto: tan escuálido y desfallecido se encontraba.

Por fin, dirigiendo los ojos hacia lo infinito, dejó escuchar dos estridentes gritos guturales que helaron de pavor a toda la concurrencia; levantó los brazos a lo alto, y después de largo rato de apariencia extática, exclamó: —¡Siboneyes! Baganioná habla por mi boca, y Cemí va diciendo a mis oídos mis palabras. Nadie puede rehacer lo deshecho. La suerte del siboney está decretada, y la fuerza y la maldad son más fuertes que la virtud y la bondad: bajemos la cabeza y aceptemos lo que decretado está. Dos caminos nos toca seguir, los dos valerosos y nobles; cada siboney seguirá aquel que más le acomode, aquel por el cual se sienta capaz de marchar. Morir es deber, matar es derecho. Tiempos vendrán en que cada gota de sangre nuestra costará a los cristianos ríos de sangre. De la tiranía se redime uno muriendo o matando. ¡El que sirva para morir, que muera por su propia mano; el que sirva para matar, que mate; yo moriré por mi mano!

Y calló largo rato, quedando todos en espera, pendientes de sus labios. Tornó a lanzar unos cuantos gritos, y retorciéndose los brazos como en desesperación, añadió: —¡Siboneyes: sed valientes y esforzados, que de vosotros y de nosotros no habrán de quedar ni los hijos de nuestros hijos, y a los cristianos, el huracán habrá de barrerlos a su tiempo, como arrastra el viento las hojas de las yagrumas por el polvo de la tierra! ¡Malditos sean!

Y *¡malditos!* repitieron los montes y los llanos, y las cañadas y las cumbres, llevando en sus ecos, de uno a otro extremo del país, ese grito de odio y de dolor.

Desplomóse el behique como en paroxismo; hubo que cargarle en peso, para que no rodase de su pedestal, y depositáronle cuidadosamente, sin conocimiento, al pie de la roca, junto al mismo peñasco desde donde había perorado a su pueblo.

La rota de los españoles por Guamá, en los montes de Baracoa, fué la noticia que recibió y alarmó a Guzmán en Santiago, y determinó la germinación y el cultivo del traidor en Cubanacán. Comprendieron por vez primera los colonizadores que no es la ley del más fuerte la verdadera vencedora, que el porvenir se les presentaba adverso, y la fiereza africana, aprendida y heredada en los campos de Castilla, y la intransigencia y la barbarie de la Iglesia, que se arrogaba, tergiversándolas, las doctrinas del Gran Mártir, crearon el verdugo en lugar del civilizador, y hubo choque de armas en vez de cánticos de fraternidad. ¡Crimen inaudito que durante años y años habían de pagar las generaciones venideras con dolores, con sacrificios, con odios y con lágrimas!

XI

Serían las nueve de la mañana, hora a la cual solía estar ya fuera del lecho doña Guiomar, cuando se le apareció su sobrino Hernando de Nájera, y, apenas la saludó cariñosamente cual era su costumbre, la dijo: —Tía, como soléis inquietaros por mí, sin razón, cuando pasan horas sin verme, vengo a deciros que puede que esté algunos días ausente, y puede que vuelva presto. Así, pues, no os apesadumbréis al no verme.

—¿Qué, Hernando? ¿Os alejáis? ¿Qué es ello? ¿Os cabrá la locura de ir a combatir a los indios alzados?—replicó doña Guiomar con inquietud.

—No, tía; nada de eso. Podrá ser que me defienda de ellos, si me atacaren; pero, ¡ir a buscarles yo, y acabar con ellos! No; bien sabéis vos que mi pensar es distinto al de los demás.

—¡Ah, vaya! ¿Algún amorío campestre, eh?—añadió tranquilizada.

—No, no es eso tampoco; es por algo grave. Me temo alguna desgracia por la pobrecita Dayamí. ¿Recordáis que la dije que aguardase tranquila, que yo iría en busca de su familia? Pues bien, se nos ha desaparecido.

—¿Desaparecido? Huída será. No os alarméis. Os son conocidas sus costumbres y sus ideas, y lo que habrá pasado es que lo que teníais que hacer vos lo ha hecho ella; no os apenéis ni os alarméis.—Y poniéndole una mano en el hombro, le agregó con sorna: —¿Os duele la chica? Ya hallaréis otra mejor, si ésta no pareciere.

—No, tía; os lo repito—contestó Hernando con un tanto de impaciencia.—No siento por ella nada de amor varonil. Hace días que no me comprendo yo mismo; experimento por ella grandísima lástima. Iré por ella siguiendo sus huellas; me llevo a Abey; rastrearemos, y habremos de dar con ella. ¡Que lleguemos a tiempo! Bien sabe el Señor que no es idea de amor lo que me lleva a esa expedición; es idea de compasión profunda; esa criaturita me ha conmovido. ¡Y cuenta que estoy hecho a muchas cosas!

—Pues, andad, hijo, y que salgáis bien de vuestra empresa. Aquí os aguardo, y rogaré a la Virgen por que realicéis vuestros deseos.

La víspera de aquel día, el behiquí Sesí, arrastrándose como un majá, burlando la vigilancia de Abey, que se había quedado dormido, llegó junto al bohío en el cual, confundida con otros indios, dormitaba Dayamí. Estaba oscuro, y hubiera sido una imprudencia para Sesí el llamar, entrar, y buscarla a tientas, pues todos hubieran despertado; el behique era íntimo de los padres de la indiecita, y teníale a ésta excesivo y peculiar cariño desde muy pequeña. El la había enseñado a andar; para ella habían sido las primicias de los árboles en flores y en frutos, y para ella había sido un lindo zorzal, inteligentemente amaestrado por Sesí. Cogida el ave en un nido, y alimentada en sus manos, le había enseñado a saltar, subírsele al hombro, prender sus rojas paticas de los ásperos cabellos de Dayamí, y con el pico, picotearle el cráneo jugando con ella. Recordó que el zorzal, posado en la mano de la india, daba al aire su canto, en tono muy bajo y como amoroso, cuando ella, acercándolo a sus labios, le decía —"Canta".—Y a este recuerdo, separando con cuidado una de las yaguas que formaban parte de la pared, silbó, imitando al ave, y aguardó.

El oído sutil del indio advirtió que algo se movía en el bohío, y volvió a silbar más dulcemente y con más cariño, y volvió a aguardar.

A poco rato se vió como una sombra oscura arrastrarse por bajo una yagua, y asomar hacia la campiña, menos negra que el negro bohío. Sesí moduló el canto del zorzal más bajo que antes, y Dayamí, respondiendo al canto, vino hacia el lugar de donde había partido el simulado canto del ave.

Irguióse el behique cuan alto era, e hízole seña de que avanzase pronto. Reconocido en seguida, fué a él, callada y silenciosa, con toda la ligereza de una niña, y de una niña india; agarróla Sesí por un brazo, y la dijo con acento imperceptible: —¡Silencio!—Y se internaron en el boscaje que, espeso y enmarañado, se levantaba frente a ellos.

El cielo inmenso se notaba de tiempo en tiempo, cuando el bosque clareaba, percibiéndose entonces las estrellas que titilaban en un azul terso. Diríanse ojos curiosos que seguían los pasos de las dos sombras, tan unidas, que semejaban un solo cuerpo, y que, sin detenerse, huían como si les faltase tiempo para llegar al lugar ansiado.

Lo intrincado de los árboles no les detenía, ni les infundía duda acerca de cuál era la ruta emprendida; iban rectos, sin vacilación, adonde tenían que ir, sirviéndoles maravillosamente su instinto de salvajes para no extraviarse. No hablaban, y era el silencio congoja para Dayamí y estímulo para el behique.

Algún árbol caído, derribado por pasado huracán, les obligaba a dar un gran rodeo, a veces; cañadas profundas les hacían resbalar, forzándoles luego a subir por la pendiente opuesta, o a trepar agarrándose de los bejucos y los arbustos, al faltarles cuyo sostén, por quebrarse aquéllos, caían y rodaban; arroyos con poca agua, llenos de lamas los intersticios de piedras desgastadas por las crecientes, les hacían resbalar al poner los pies en la menguada corriente, pies que, aunque descalzos, se les deslizaban por la precipitación de la carrera, hundiéndose hasta media pierna en el fango de las pozas de agua estancada.—¡Adelante y adelante!—era la única frase que murmuraba el behique a cada obstáculo y a cada contratiempo.

La noche había recorrido casi la totalidad de su carrera, y aún corrían ellos. Tuvieron un momento de respiro al poner la planta en una cima desguarnecida de árboles.

—¡Allí!—exclamó Sesí, señalando con la mano

una parte del bosque cercano, más despejado de árboles, y por donde, entre los troncos aislados, jugueteaba la luz con más libertad.

La hermosa estrella matutina enviaba su primer resplandor desde el lejano monte. Después de remontar el picacho tras el cual asomaba con destellos blanquecinos, al principio, y más brillantes a medida que ascendía, mostróse espléndida, como fulgurante lámpara que iluminase poderosamente a un templo oscuro de renegridas paredes.

En aquel instante la naturaleza, encerrada en sus muros de árboles y de montañas, de valles y de cañadas, fascinaba a sus dos fieles servidores: el behique Sesí y la india Dayamí, absortos en aquella planicie, en espera de su dios el Sol.

Pronto había de mostrarse, y, de cara a Oriente, lo aguardaban los dos indios: con alegre contemplación Dayamí, con éxtasis religioso Sesí.

El brazo izquierdo del behique se erguía hacia lo alto cual si hiciera una invocación a sus dioses tutelares, y el derecho, empuñando un pedazo de madera de *mije* blanco, redondo, tal cual se cortó del gajo, especie de baqueta, descansaba sobre el parche de un pequeño tamboril colgado del cinto.

El centelleo de las estrellas había disminuído extraordinariamente; ya se esfumaban todas en la diafanidad de la atmósfera, y sólo alguna que otra constelación, a punto de hundirse en la claridad del día, permanecía batallando, dando fulgores y apagándose paulatinamente ante las precursoras claridades del Sol, que pronto aparecería.

Ráfagas de aire fresco, como heraldos de la luz, recorrieron el ramaje de los árboles acariciándolos en beso matinal.

El azul del horizonte se mezcló con un tinte anaranjado, se impregnó de la mezcla todo el contorno, y, de súbito, destacando los picachos en relieve, los primeros rayos dorados surgieron tras las montañas de Oriente como alegre saludo a la Creación.

Sesí y Dayamí seguían aguardando religiosamente. A los primeros albores, comenzó el behique un canto de monosílabos, notas disgregadas y sueltas sin conexión las unas con las otras; sonido lastimero de un ¡ay! gutural de salmodia a sus dioses. Dayamí, junto a él, después de cada nota del behique, emitía otras de tonos más agudos, y, al escapar de su garganta, claras y melodiosas, formaban, confundidos, el cantar del anciano y el de la niña, un ritmo plañidero de dos almas que se despedían para un ostracismo sin fin.

Rasgáronse los cielos y apareció el Sol, la inmensa hoguera que, una vez más, habría de caldear el aire, hacer fructificar las plantas y requemar la hojarasca que arrastraría en torbellino el viento hacia las orillas de los bosques.

Apenas reflejó el primer rayo sobre la cabeza del behique, cual si acudiera a sus súplicas, bajó éste el brazo levantado en tensión, y la baqueta de *mijo* resonó con fuerte golpe en el parche de la tambora; volvióse de cara a Occidente, púsose a marchar con pasos de vertiginosa rapidez, y sin reparar en obstáculos, tropezando aquí, lastimándose allá, siguió a todo correr, dando siempre golpes a compás con la baqueta al pequeño tamboril. Su canto fué aumentando en intensidad cuanto más adelantaba en su carrera, hasta alcanzar el himno la fuerza de un grito estridente, que había de repercutir en lo más distante, haciendo temblar de espanto a los que llegasen a escucharlo.

Dayamí no le dejaba un solo instante, y aquel cuerpecito, débil y de escasas fuerzas, encerraba un alma gigante a la altura de su raza y de sus sufrimientos.

Al borde de un pequeño arroyo se detuvo de repente el behique, y volviendo a agarrar a Dayamí como en la noche anterior, cesó en el canto y en el toque de la tambora. Según sus creencias, llevaban consigo al Sol, que les seguía al ruído del parche, y mirando con ojos profundos a la india, le dijo enérgica y tristemente: —¡Allí!—Y le indicó la floresta entreabierta, casi sin árboles, alfombrado el suelo de yerba menuda, salpicada de colores por la fulguración de la luz sobre la capa de verdura.

—¡Mira!—exclamó desesperado, y la indiecita, llevándose las manos al corazón, lanzó gritos lastimeros, y las lágrimas rodaron de sus ojos como manantial que nace repentinamente de tierra blanda y floja.

—¡Dayamí!—añadió bajándose hasta ella.—¡Hija mía, hija de mi alma! Fuí por ti para hacerte libre; tus padres lo son, tus hermanos también, y yo voy a serlo al instante.—Dióla un beso intenso en la frente, volvió a besarla repetidas veces, y, de un salto, se irguió cuanto sus nervios se lo permitieron. Miró con intensidad a Dayamí, reconcentrando en su mirada sus sentimientos más puros y como para llevar grabada en la retina la última visión de la niña amada. Desprendióse bruscamente, con la baqueta rasgó el parche de la tambora, la arrojó lejos de sí, y al chocar con el tronco de un cupey, resonó quejumbrosamente. Desatóse Sesí rápidamente la cuerda de majagua ceñida al cinto, trepó sin vacilar a una guásima cercana, ató la cuerda por una punta a una rama, se aplicó el otro extremo, con un lazo corredizo, al cuello, y con una exclamación indefinida, en que vibraron todos sus dolores, se lanzó al espacio, quedando el suicida colgado y balanceándose con el gajo a impulso de la última contracción.

Dayamí no hizo un movimiento para impedirlo. Parecía una pequeña estatua de bronce clavada en el suelo, y ante todo el espectáculo representado a sus ojos, desde que, arrebatada por Sesí, huyó del bohío, quedaron rotas las fibras de su corazón, y predominó en ella una especie de estoicismo que le infundió valor para todos los sacrificios.

Movióse, al fin, y avanzó al centro del lugar, templo consagrado por el sacrificio heroico de un grupo de indios. Allí pendían, ahorcados, los cadáveres de sus padres y de sus hermanos, tres mujeres más, dos jovencitos y dos indios que le eran desconocidos, y en la guásima, Sesí, cuyo cuerpo aún oscilaba y aún conservaba el calor de la vida.

En todos estaban señalados los sufrimientos y la demacración, y en sus míseras carnes, envoltorios de osamentas, perduraban las señales del castigo por el látigo.

Casi todos estaban a su alcance, y los pies de algunos casi rozaban el suelo. Vió a su madre, y puesta la boca a los pies, los besó con fervor, los regó con su llanto, y murmuró sonidos que eran un lamento. Pasó a su padre, y, lo mismo que a su madre, le besó las plantas, lavándolas con el agua de sus ojos, y con unción religiosa murmuró algo que sólo ella comprendía. Besó los pies a sus hermanos; besó los de los indios desconocidos, a cuyos restos pudo alcanzar con la boca, y a Sesí, demasiado alto, le envió, mentalmente y moviendo los labios, un beso de cariñosa despedida.

Giró la cabeza en torno, y, tranquila, buscando un tronco a propósito, no muy grueso, que le sirviera para su fin, un guayabo de tronco liso y algo retorcido se le prestó a ser altar para el sereno sacrificio. Con calma aterradora ató una corta tira de majagua retorcida a la horqueta de un gajo que brotaba del tronco; afirmó el nudo y lo aseguró para que no resbalase del leño; preparó un lazo que habría de ser corredizo al impulso del cuerpo; se lo pasó por la cabeza, y lo ajustó a su delgado cuello, como acostumbraba hacer con sus collares de pepusas; se detuvo un momento, volviendo los ojos a todas partes con temor angustioso; fijóse por vez postrera en los cadáveres colgados, y doblando las rodillas, con voluntad decidida, se dejó caer con fuerza, y su cabeza quedó pendiente de la cuerda que la ahorcaba, y sus brazos cayeron a lo largo del cuerpo, y permaneció de rodillas la virgen india, como mártir en oración al Dios de todo lo creado.

Las auras revoloteaban de rama en rama, y alguna rastreaba posándose en el suelo; luego, en bandadas, iban al asalto de la carne muerta, y al asirla con las garras y recibir impulso el cadáver, se espantaban las aves de rapiña y volvían a volar. Alguna se acercó a picotear los ojos de aquellas cabezas sin vida, y batió las alas, huyendo espantada al movimiento del cuerpo suspendido de la cuerda. Y en aquel vaivén de muertos y revolar de aves carniceras, el soplo de la brisa infundía cadencias a la atmósfera con las hojosas ramas que se agitaban susurrantes.

El Sol iba subiendo hacia el cenit, los moscardones zumbaban, las flores silvestres perfumaban el ambiente, y la luz teñía con colores armónicos de verde, de gris y de azul los troncos, el follaje y los cuerpos cobrizos de los indios ahorcados.

XII

Era domingo, y el oratorio de la Concepción, que servía de catedral, había recibido, con parodia de ritual solemne, al Obispo Sarmiento, que iba a oficiar de pontifical.

Allí, ante el altar mayor, se encontraban, con el Obispo en el centro, los sacerdotes asistentes: un clérigo y el canónigo predicador Jerónimo Atienza. El sacristán hacía las veces de maestro de ceremonias, y dos muchachones servían de mozos de coro, de acólitos portadores de los ciriales, la cruz y el incensario y de cantores de la misa, en tanto que llevaba el compás de la música el mestizo Cipriano de la Cruz, sentado ante un mal instrumento desvencijado, con pretensiones de órgano, traído de Cádiz. Nada concerniente al culto había sido olvidado. A la izquierda del altar mayor, groseramente tallado, y con unos candelabros de cobre y de madera con velas de sebo, estaban situados cuatro escabeles donde, en ciertos intermedios de la ceremonia, tomaban asiento los oficiantes.

Los cirios alumbraban a un San José y a una Santa Ana, vestidos grotescamente con sayales de lana, carcomidos por la traza, y cuyas figuras e indumentaria hubieran causado risa a gentes menos fanáticamente idólatras de las imágenes. En el centro de aquel altar, casi coronándolo, una imagen de la Purísima Concepción, sucio el blanco vestido, y el manto azul algo roído por las ratas, aparecía alumbrada por una gruesa torcida de algodón, flotante en una cazuela de aceite, que producía denso humo, cuyas nubes se agitaban al compás de una llama flameadora, a impulsos del viento que, por donde quiera, penetraba en aquella iglesia mal cerrada por yaguas, tablones y adobes.

A la derecha, en dos sillones de cuero, tenían sendos asientos el Gobernador don Gonzalo Nuño de Guzmán y el Alcalde don Bartolomé de Ortiz, y en dos bancos de madera el clero reservaba lugares al procurador de la ciudad, don Diego de Soto, al tesorero don Lope Hurtado y a los regidores don Juan Pérez de Guzmán y don Antonio de Velázquez. Unos horcones de madera, sin labrar, sostenían el techo y dividían la iglesia en tres naves, y alrededor de esos horcones, estaban agolpados algunos funcionarios civiles y militares.

La nave de la derecha correspondía a las mujeres de viso a quienes no debían llegar las miradas de los soldados, por considerarse esas miradas como un desacato, y en la nave de la izquierda se colocaban, en conjunto y sin asientos, de rodillas o sentadas en el suelo, las aventureras de vida alegre, que ya las había, apenas descubierto el Nuevo Mundo, quienes, imitando a las *señoronas* en el deber religioso, manteníanse serias y sin alzar la vista del suelo, como pudorosas doncellas, llena el alma de supersticiones, asiduas cumplidoras de los ritos, fieles al culto, y adoradoras fervientes de las imágenes, a las cuales pagaban tributo de exvotos y de dádivas, con la misma facilidad con que, momentos después, vendían, sin escrúpulo alguno, sus gracias al mejor galanteador.

Una fuerza, pelotón de veinte hombres armados de picas, ocupaba la parte central, y detrás de ellos, alzándose en puntillas para poder ver mejor y seguir las ceremonias de la misa, se encontraban algunos presidiarios, algún cantinero, ningún negro y pocos indios, y de éstos sólo los que inspiraban completa confianza.

Doña Guiomar asistía muy pocas veces a las ceremonias religiosas, y al censurárselo alguien, el efecto había sido adverso, pues—*"po lo mismo"*—repetía, y desde que había presidido las solemnes honras fúnebres celebradas en memoria de su difunto esposo don Pedro de Paz, se había negado a poner los pies en la Catedral: —Pagué bien, y Pedro habrá salido del purgatorio pronto, si esos tíos han enviado allá los dineros—agregaba con sarcasmo.

En aquel domingo había zozobra en la ciudad; los ánimos se encontraban inquietos; las noticias de Baracoa habían hecho cundir la alarma, y aunque se sabía la salida de los indios traidores, no se creía en el resultado que podría obtenerse. Había que aguardar con calma, y se aguardaba, redoblando la vigilancia y manteniendo un espionaje eficaz sobre los indios del inmediato pueblo del Caney.

Desde el Gobernador hasta el Obispo, todos estaban malhumorados, y las gentes se miraban en ellos como queriendo adivinar lo que pasaba en sus ánimos. Había en la atmósfera algo de pánico; se temía una sorpresa por parte de los indios, y, aunque considerados débiles, el número que representaban sobrecogía; se recelaba de su astucia de salvajes y que, arrastrándose como culebras, diesen fuego a la población, por varias partes a la vez, cosa hacedera por ser los tejados de guano de tan fácil combustión.

La única campana de la Catedral, pendiente de tres maderos clavados en tierra y unidos por la otra punta en forma de pirámide, después de repicar incesantemente desde muy temprano, anunciando la gran misa mayor episcopal, había dado sus últimas campanadas, postrer aviso, y la misa había comenzado con el ritual de costumbre.

Contra lo ordinario, había en aquella casuca reducida, de tejado de guano, bautizada como Catedral, un silencio profundo; la misa se oía con apariencias de verdadero fervor en aquel día, acongojados los ánimos por recelos que eran racionales.

El valor temerario de los mismos que sufrían condena en la fortaleza-presidio no era bastante para restablecer la tranquilidad anterior. Una nube negra pesaba sobre todos, y les obligaba a buscar, principalmente a las mujeres, cualquiera que fuese su posición social, en la oración fervorosa, en los exvotos y en los rezos a las imágenes predilectas, amparo y protección contra desgracias que podían llegar a realizarse.

Como un solo individuo se puso de pie la concurrencia de fieles, al comenzar el Obispo el Evangelio con la frase *"in illo tempore"*, y más de uno hizo, en aquel momento, acto de verdadera contrición, con el propósito de renunciar para siempre a una vida libre y desordenada.

Fuera, en la plaza, no había nadie; a los negros no se les había permitido salir de sus barracones en ese domingo, y los indios, de ambos sexos, quedaron también recluídos en sus hogares, pues todos eran temidos y nadie podía responder de que en una asonada no tomarían parte a favor de los rebeldes.

Rellanados en sus sillones oficiante y ayudantes, sentados jefes y público en sus escabeles o en el suelo, descansadas las picas de los soldados en formación en la nave central, el cura predicador, el canónigo Atienza, de rodillas ante el Obispo, fué a impetrarle su bendición para el sermón que, en aquel día, versaba sobre "La fe en Dios y en la Religión, como medio de salvación segura en todas las circunstancias de la vida".

Había comenzado el padre, ya en el púlpito, con el consabido: —"Señores Gobernador y Alcalde; Ilustrísimo señor Obispo, queridos hermanos", y, después de tender en la barandilla del púlpito un pañuelo de grandes cuadros y esperar un rato, cual dando gran importancia al discurso que iba a pronunciar, volvió a repetir: —"Queridos hermanos en Jesucristo: Dios, por la intercesión de su Divino Hijo, mirará con..."—Un tumulto, una intensa alarma, con pasos preciptados en el exterior, un grupo de militares y presidiarios, en son de algarada, conduciendo a su frente a un soldado, estropeado, sofocado por una marcha precipitada, con el aspecto del que llega vencido, después de un combate desesperado, se sintió en la puerta de la iglesia, y el soldado, atento sólo a la urgencia de dar rienda suelta a lo que se le había encomendado que comunicase al Gobernador de la plaza, tan presto como llegase a ésta, exclamó: —Señor Gobernador, señor Gobernador, el enemigo...!

Tan pronto como las palabras *el enemigo* resonaron en la iglesia, las mujeres, alborotadas, sin esperar a más, figurándose que los indios asaltaban la población, llenas de terror, viéndose ya cogidas por el salvaje, y sintiendo hasta el calor de las llamas que devoraban al pueblo, corrieron desoladas al presbiterio, dando alaridos y chillidos, entre los que resonaba la palabra *¡Misericordia!*, sin reparar en autoridades ni en oficiantes.

Los soldados requirieron sus picas, y ordenadamente salieron del templo; el Gobernador y los otros jefes, poniéndose sus cascos y desenvainando las espadas, lanzaron gritos de: —*¡Calma, calma!*— en tanto que se abrían paso con trabajo hasta llegar al exterior de la iglesia.

Allí el Gobernador Guzmán, increpando al soldado, le gritó: —¿Dó está el enemigo?

El soldado, cuadrado, con todo el respeto que la disciplina impone al inferior ante el superior, comenzó de nuevo: —Señor Gobernador, llegado he al instante de la ciudad de la Asunción; en un cayuco hemos podido arribar felizmente, tras peligros en el mar, y el jefe me dijo: —"Vuela y di al señor Gobernador que el enemigo... ha despedazado nuestros soldados, nos sitia por tierra, nos faltan menestras, y resistiremos hasta el fin; pero que nos auxilien pronto, si se quiere salvar la plaza..."

Entonces comprendió el Gobernador el pánico producido, en la iglesia, por las palabras *el enemigo;* el alboroto había impedido que continuara hablando el emisario, y apagada la comunicación verbal del soldado, con el espanto que les dominaba, los habitantes habían entendido que los indios atacaban a la población de Santiago.

El Alcalde volvió a la iglesia, hizo escuchar sus palabras, y explicó que no había temor alguno, que era Baracoa la atacada, y que no había que temer nada tampoco, y menos con las providencias tomadas.

Envaináronse las espadas, los soldados se dirigieron al cuartel de San Francisco, sin finalizar su misa, y ésta concluyó tropelosamente, sin sermón, sin canto, y apenas se dijo el *ite missa est,* los feligreses volaron para sus casas, temblando aún por el susto pasado.

El Obispo, con su pequeño séquito clerical y con cuatro soldados armados de picas, dejó la Catedral para retornar a su Palacio; la campana no repicó; Su Señoría Ilustrísima iba hablando con el predicador de los sucesos aquellos, y todos convenían en que se imponía un fuerte castigo, para no estar expuestos a la *maldad de los indios.*

A medio camino, el portero del Palacio Episcopal vino a encontrar al señor Obispo, de parte de su sobrina Clarisa, para darle cuenta de noticias fatales.

—Señor Obispo, la señorita ha quedado llorando y...

—Corre, y dile que todo ha sido un simple susto, y que no haya temor.

—No es la alarma, mi señor. El caballero don Hernando, el sobrino de doña Guiomar...

—¿Qué, qué?—exclamó súbitamente el Obispo, al nombre de la viuda y de su sobrino.

—Dice el caballero de Nájera que parte de los indios de su merced, y Dayamí, han aparecido ahorcados en el vecino bosque...

El Obispo se llevó las manos a la frente, y apresurando el paso, ante el rudo golpe de la pérdida de parte de su encomienda, murmuró con despecho: —¡Herejes! ¡Herejes malditos! ¡Condenados! ¡Hay que hacer un escarmiento!

Fué acelerando la marcha; la palabra *¡condenados!* brotaba de sus labios como un rugido rabioso, y esta maldición fué el único responso que por el descanso de las almas de sus indios bautizados se le ocurrió rezar al piadoso Obispo fray Sarmiento.

XIII

Hernando, de vuelta de su excursión al través del campo, en camino para la casa de su tía, dió de manos a boca con el Obispo, quien, embargado por su dolor, distraída la imaginación, iba olvidado de conceder la bendición a los poquísimos transeúntes que, por las agrestes calles, se descubrían respetuosamente a su presencia.

Nájera fué uno de ellos; cortés con los dignatarios de la Iglesia, a pesar de criticarlos severamente por sus escándalos y desafueros, cumplía sin falta con lo que se le había enseñado. Por tanto, acercóse al Obispo y le besó el anillo.

—¿Qué me contáis, Hernando?—le preguntó Sarmiento desazonado.—Me dicen que me traéis malas nuevas...

—Así es, señor. Andando por los bosques, lejos de aquí, a varias jornadas, tropecé con el triste espectáculo que va repitiéndose en demasía. Los indios, señor, nada aprovechan de nuestra doctrina, y, agobiados por el trabajo, se suicidan. Familias enteras (doloroso es decirlo), para huir de nosotros, se arrancan la vida.

—¡Ay!, Hernando, no es el trabajo, no, lo que les mortifica; es que son rebeldes por naturaleza; ahí tenéis la sublevación de Baracoa llevándolo todo a sangre y fuego. ¿Es este el pago que nos dan por la fe que les hemos traído, para salvarlos de la idolatría, y, por lo tanto, del fuego eterno de los herejes? ¿El darles una ocupación no es para hacerles útiles a ellos mismos? Nos odian por ingratitud. Ahí tenéis a esa Dayamí. ¿Qué más quería que estar al servicio de mi sobrina? Hay que convencerse, Hernando, y convencer a Su Majestad, de que nada podrá obtenerse de estos idólatras, que, además, son hipócritas en el fondo de su alma. Los miraréis serviles diciéndoos que sí a todo, y cuando volvéis las espaldas, ¡ay, si pudieran!... ¡No os fiéis de ninguno! ¡Aquí no hay más que un camino! Lo demás es tiempo perdido. ¡Salvar el alma y que el cuerpo perezca! Es necesario conseguir el bautizarlos y exterminarlos, si es preciso. ¡Hay que castigar la rebeldía! ¡Ya poblaremos esta tierra, ingrata y mortífera, con negros de Africa, más fuertes y útiles para el laboreo de las minas!

—Señor—agregó respetuoso y firme Nájera—, los indios son también hijos de Dios. Creo que con suavidad se lograría lo que el rigor no alcanza.

—¡No, Hernando, os equivocáis; son malos, y hay que acabar con ellos!

Saludó profundamente el joven, mordiéndose los labios, apesadumbrado por el discurrir del Obispo; púsose a un lado, cediéndoles el paso a él y a su séquito, y lanzándole una mirada en la cual había más dolor que rencor, murmuró para sí: —¡Alma negra!, y continuó en su interrumpida ruta.

A poco tropezó con los dos inseparables soldados aventureros, Antonio Baena y Rodrigo de Tello. Iba el Tello de bracero con Baena, cargados ambos de aguardiente anisado, que, como domingo, habían escanciado con más abundancia que en los días no festivos, a fuerza de convidadas y convidadas.

Al enfrentarse Tello con Nájera, con el aspecto estúpido del beodo, le barbotó estas palabras:

—¡Salud al caballero... de buena fortuna!

Miróle el mozo sin replicar, siguiendo su camino, cuando, con sonrisa de tipo astuto, hipócrita y rastrero, le agregó Baena: —Se os saluda, señor don Hernando. ¿Qué le pasa al caballero que se le ve tan cariacontecido? ¿Será...?

No lo dejó terminar Nájera, e interrumpiéndole, se detuvo; les midió a ambos de arriba abajo con la altivez del noble, y les increpó en esta forma:

—¡Insolentes! ¿Cuándo os he facultado para hablarme cuando no se os llamó? Seguid vuestro camino, ¡bergantes!, si no... ¿Queréis que os haga sentir la distancia que hay de mí a vosotros? ¡Ea! ¡largo de aquí!

A pesar de ser hombres de armas tomar no lo eran tanto que pudieran contender con Hernando frente a frente. Ya en anterior ocasión habían experimentado la fuerza de sus puños, pues, como les había dicho: —"Con aventureros de vuestra ralea no me bato".—Así fué que, murmurando Tello un: —¡Vaya, vaya—, y Baena un: —Dispense, señor de Nájera—, expresado con servilismo, siguieron ambos truhanes su marcha, con reniegos de reconcentrada ira, tan sordamente murmurados, que el uno no pudiera percibir las palabras del otro: —¡Si os alcanzo algún día!—Y ambos, también, hicieron ademanes como de clavar un puñal en el pecho.

Ya el indio Abey se había adelantado a darle aviso a doña Guiomar, de que su sobrino le llegaba sin novedad, y que pronto estaría junto a ella, deteniéndolo solamente el tiempo de una corta plática con el señor Obispo.

Pero Hernando, había pensado que, antes de ver a su tía y protectora, debía presentarse al Gobernador, darle cuenta de los acontecimientos del viaje, y llevarle noticias, arrancadas a fuerza de habilidad, del indio Abey. Este, de fidelidad probada y de ciega confianza para Nájera, estaba naturalmente ligado con los demás indios, y aunque era seguro que no sería de los que se rebelasen, como indio, al fin, tenía que apoyar ocultamente a los suyos, y conocer y saber esconder sus proyectos y movimientos. Hernando tenía la seguridad de que ni él ni su tía sufrirían nada en caso de una sublevación: habían recibido los indios tanta protección de ambos, que él y ella estaban convencidos de que los rebeldes no les harían ningún daño.

El Gobernador se encontraba en la Atalaya del Adelantado, y extremaba las precauciones para la defensa de la población, en caso de algún ataque formal de parte de los indios. En aquellos momentos platicaba con fray Ramírez, cuyo arresto mantenía, según se lo había prometido, y le explicaba, por la centésima vez, que había hecho muy mal en convertir su desavenencia con el Obispo en reyerta, y mucho peor que la riña la hubiesen tenido en la iglesia, y requetepeor haber sostenido semejante altercado, llevándolo a vías de hecho, con un superior jerárquico: —He querido evitar mayores males a esta ciudad, y de aquí el teneros en el fuerte hasta vuestro embarque; pero, tened entendido que no es ni por rencor, ni por abuso de autoridad; es por respeto a la autoridad misma; entendedlo bien, fray Ramírez, y así lo haré entender también a la Real Chancillería.

El fraile encogióse de hombros y no se dignó contestar al Gobernador, como si no fuese con él la amonestación, se mantuvo imperturbable leyendo su breviario, y así hubiera continuado, si simultáneamente no hubiese asomado Perete con la fórmula consabida de: —¿Da su venia, señor Gobernador?

—Adelante, Perete. ¿Qué nuevas nuevas nos traéis?

—Señor, el caballero don Hernando de Nájera quiere hablaros.

—¡Adelante, Hernando!—gritó el Gobernador con su voz estentórea, y al pasar, tendióle la mano familiarmente, diciéndole: —¿De dó venís tan empolvado?—Y mirándole las polainas, agregó: —¿Y tan enlodado?

—Señor Gobernador, acabo de llegar de una larga excursión al través de los bosques. Por las huellas halladas, los indios están en gran movimiento, y por las noticias que he podido adquirir, sólo aguardan nuevas de Baracoa para sublevarse en masa.

—Gracias, Hernando; ya hubimos noticias de ello, y estamos preparados para cualquier evento. Esta situación nos la debemos a nosotros mismos. El excesivo trabajo del indio en busca de oro, forzado a ello por los poseedores de encomiendas, dan estos resultados. No han valido consejos, ni escritos de la Real Chancillería, ni cédulas de Su Majestad. Y mantienen más esta atmósfera de ruina en que está sumida la Fernandina las prédicas de los religiosos. Ahí tenéis los escritos de fray Pedro de Trillo (aquí, entre los dos, ¡valiente bribón!), manifestando al Rey, nuestro Señor, que son necesarias las encomiendas, que sin ellas los indios se unirían a algunos alzados de los montes, volviendo a sus idolatrías y vicios, negados a la Religión y buenas costumbres. ¿Qué os parecen las buenas costumbres de estos frailes? ¡Eh! Y aun sigue más: "también podrán matar a los españoles, dominando la Isla y haciéndose de más difícil sujeción". Ahí tenéis al Obispo Sarmiento, poseedor de una encomienda numerosa, lo cual prohibe Su Majestad a los Obispos, y, ya lo véis, ¡a las minas con sus indios!

—Señor, he presenciado en los bosques el resultado de esos procederes: el Obispo ha perdido parte de sus indios. ¡Hombres y mujeres quedan ahorcados por falta de justicia!

—¡Callad, Hernando, que no os oigan! No conocéis bien cuán vengativos y rastreros son estos hombres de la Iglesia, y algunos de esos otros que se llaman, aquí, caballeros. Mis luchas las conocéis, y vuestra tía sufre las consecuencias de su pensar libre, calumniada por los incapaces de ser otra cosa que libertinos y ladrones.

—¡Señor Gobernador, señor Gobernador!—interrumpió precipitadamente, Perete, faltando a las ordenanzas.

—¿Qué, Perete? ¿Qué nuevas?—quiso conocer Guzmán alarmado al aspecto del soldado.

—¡De Baracoa... un emisario... por tierra... que apenas puede tenerse!

—¡Que éntre presto! ¡Presto! ¡Presto!

El que llegaba era un indio de los de la cuadrilla enviada en persecución de Guamá. Venía ligeramente herido en la frente, y, a pesar de la larga jornada y de su extenuación, plantóse enhiesto ante el Gobernador, y rápidamente, antes de ser preguntado, articuló: —Guamá, muerto; bohíos, quemados; mujeres, prisioneras; jefe nuestro, muerto; cinco indios, también. Prisioneras vienen detrás.

—¡Guamá muerto! ¡Indios e indias muertos! ¡Albergues quemados!—exclamó alborozado el Gobernador.

—Indias, prisioneras. Todo indio, muerto,—replicó el emisario.

—¡Perete, corred; dadle la nueva al señor Obispo, y que repique la campana de júbilo, para que sepan todos la nueva feliz. Y vos, Hernando, id, y dádsela a vuestra tía, que bien habrá de holgarse por la tranquilidad conquistada.

Partió Hernando del fuerte, camino de la casa de su tía, dejando al Gobernador restregándose las manos con fruición: —¡Bien se han cumplido mis órdenes! ¡No se han hecho prisioneros! ¡Tan sólo las indias! ¡Eh! ¡ya veréis el nuevo lío!—Y acordándose de la petición de Baena, añadió sarcásticamente: —¡Buen negocio le espera al rancheador mayor! Y, para caer en sus manos, mejor han marchado esos indios a la otra vida.

Hernando, abatido por choques tan diversos y por la misma fatiga de su excursión, apenas pudo llegar a casa de doña Guiomar y decir a su tía, que le salió al encuentro: —¡Todos muertos!—Y dejándose caer en una butaca, se cubrió el rostro con las manos.

Doña Guiomar, penetrada del dolor de Hernando, lo comprendió todo; dirigió los ojos al cielo, con el reverso del delantal enjugó una lágrima a punto de desprenderse, y murmuró con el alma: —¡Virgen del Carmen, piedad!

Expuso el indio que él había tomado el mando, al morir el jefe de la hueste; que el combate había sido una dura sorpresa, y lo refirió de esta manera: —Caminábamos cuidadosamente, olfateando, siguiendo huellas. Ibamos armados en guerra, y, por donde quiera, al pasar, proferíamos maldiciones contra los cristianos, y decíamos que íbamos a reunirnos con Guamá, para matar castellanos. Cuando llegamos a las ásperas montañas de Baracoa, se nos hizo claro el rastro, y adivinamos que Guamá estaba cerca. El jefe nos reunió, y, de oído a oído, nos dijo lo que teníamos que hacer; que no hubiera miedo, pues los castellanos nos pagarían bien, y, que ellos procurarían defendernos de nuestros enemigos, si los tuviéremos después. Nos instruyó de que, al encontrar a un indio de centinela, lo abrazásemos uno a uno, y repitiéndole que íbamos para juntarnos con Guamá, los dos últimos de nosotros lo matasen sin ruido, sin darle tiempo de gritar; que había que llegar en son de paz, donde estaba Guamá, para vencerle seguramente y sin peligro, y que él se encargaría del cacique. Así que encontramos al primer centinela, nos dimos a conocer, y uno a uno, fuímos dándole el abrazo de paz. Cuando llegaron los dos últimos de nuestra partida, oímos un golpe seco, un quejido débil, y un cuerpo que caía, y dijimos: *uno.* Seguimos más, y a poco, otro indio, y lo mismo, y dijimos: *dos.* Ya llegábamos al caney del cacique, lleno de sembrados y de bohíos; muchas mujeres y muchos muchachos; algunos indios aguzaban y hacían flechas; dió Juyuyú, nuestro jefe, el grito de saludo, y nos quedamos junto al bosque, aguardando; avanzó solo, y se fué con los brazos abiertos al cacique Guamá, que lo recibió lo mismo; se abrazaron, y, al dar Juyuyú el beso de paz a Guamá, le clavó repetidas veces el puñal en la espalda con buena suerte, y profirió el grito de guerra. Nosotros, entonces, nos echamos sobre los demás. Todo indio fué muerto; tú nos encargaste que así había que hacerlo. Quemamos los bohíos, y sólo traemos a las mujeres que pudimos coger, porque huyeron las que pudieron y otras se echaron al fuego. Guamá no abrió la boca; era indio fuerte, y metió los dedos en la garganta de Juyuyú, y tanto, que no pudimos apartarlos después, y así se fueron los dos con Mabuyá. Guamá cayó como una palma y arrastró encima a Juyuyú, crispados los dedos alrededor de su garganta. ¡Cristianos! Hemos acabado: Guamá, muerto; más indios suyos, muertos, y jefe nuestro, muerto.. Indio ha cumplido, a ti te toca ahora cumplir: ¡paga!

—Habéis escuchado la relación—añadió el Gobernador.—La Isla queda sosegada; ahora nos toca a nosotros satisfacer la deuda, para que queden contentos. Id, y esperad afuera.—Y señaló la salida al indio, que marchó después de una gran reverencia

Al verlo salir, no pudo menos que pronunciar Guzmán: —¡Desde Cristo, nuestro Señor, todo traidor es doble traidor, pues besa para matar!—Y dirigiéndose a los señores de la reunión, les preguntó: —¿Qué pensáis que debemos hacer con las indias presas?

Hubo divergencias en la discusión, y sonaron las frases preferidas de: "Hay que hacer un fuerte y ejemplar escarmiento." "La ley de las represalias se impone."

Surgió el desacuerdo entre los reunidos; unos pedían "diente por diente", "ojo por ojo", y en otros prevaleció la idea de que, exterminados Guamá y los rebeldes, no había que exagerar la nota, y que era de mejor resultado esclavizar a las mujeres, con la esperanza de enmienda; dándolas buen trato, contarían las bondades de los españoles a las demás indias, lo cual, unido al castigo recibido por los indios rebeldes, perduraría como saludable enseñanza. La mayoría casi había adoptado este parecer; inclinada la opinión hacia una política de atracción y clemencia, todos iban aceptando el mismo parecer, cuando presentóse el alguacil del Palacio Episcopal, con un pliego urgente para el señor Gobernador.

Tomóle éste, y leídas en el sobre las palabras: "Urgente. Para el mejor servicio de Dios y de Su Majestad el Rey", hizo un gesto de acatamiento, lo entregó al Secretario, y le dijo: —Leed, y leed en alta voz para todos, que bien necesitamos luz.

Pedida licencia por el Secretario al Gobernador, leyó pausadamente, apoyándose en cada palabra, para que fuese bien oído y bien entendido por todos el escrito enviado por el Obispo fray Diego Sarmiento a la Junta de Autoridades:

"Señores Gobernador y Autoridades: en el duro trance pasado he reflexionado, y llega el momento de discurrir con vosotros; mi misión de paz viene de mi Señor Jesucristo, y es misión de misericordia espiritual; mi misión para con mi Señor el Rey es misión de justicia y de provecho para la República. Sé que os habéis reunido para administrar esta justicia y hacer lo que más convenga a la quietud y prosperidad de estos Reinos.

"Pensad que habéis de pensar que Nos está encargada la extirpación de las herejías, la salvación de las almas de los infieles, e infieles son estos indios, muchos de los cuales, aun habiendo recibido las aguas purificadoras del bautismo, continúan con las mismas idolatrías que anteriormente, aunque en público hagan ostentación de la fe católica. Pensad que habéis de pensar que, tanto por el servicio de Dios y Nuestro Señor Jesucristo, cuanto por los de Su Majestad el Rey, debemos dar un gran ejemplo, que ponga coto, con la severidad, a la rebeldía de estos indios, y nunca mejor ocasión que en la actualidad. Pensad que habéis de pensar que quedará cortada de raíz la maldad de estos idólatras, prestos a sacrificar cristianos, como lo han venido haciendo, y por esto os envío esta misiva, para daros ánimo, si vaciláis en vuestras resoluciones; para exhortaros, si dudáis; para ilustraros, si no sabéis. Cinco indias prisioneras poseéis; éstas, más que nadie, son el ejemplo que Nuestro Señor pone en vuestras manos para que lo mostréis al pueblo indio entero. El servicio de Nuestros sacerdotes será grato al Señor, si logran, como lo lograrán, acompañarlas al suplicio, y que vean indios y negros, quienes deberán presenciar la ejecución, que esas mujeres mueren resignadas a su suerte y acogidas a Nuestra Santa Religión. ¡Perecerán los cuerpos, pero salvar las almas es nuestra misión! Y salvadas éstas, llegarán puras hasta el trono de Dios y su Unigénito Hijo, Nuestro Señor Jesucristo. Recibid Nuestra Bendición Apostólica. Dado en Nuestro Palacio, a los veinte días del mes de junio del Año del Señor de 1537.

✠ *Fray Diego Sarmiento.*

Obispo de la Asunción de Nuestra Señora, en la cibdad de Santiago, desta isla Fernandina, llamada Cuba.''

Un silencio siniestro acogió la comunicación que se acababa de leer. Su lectura pesó como plomo sobre la asamblea aquella, compuesta de férreos soldados, rudos en el pelear, de poca conciencia, crueles e impasibles, dando y recibiendo la muerte, pasando al filo de sus espadas a pueblos enteros, sin perdonar a mujeres ni a niños. En el fragor de la pelea, excitados por el combatir, no discutían crueldades, eran capaces de todo crimen; pero, terminada la lucha, aminorábase la dureza, sustentada sólo contra el fuerte. Y en este caso excepcional, habían de enfrentarse, en sus determinaciones, a seres débiles, y éstos eran mujeres, aunque fuesen indias. La causa de la clemencia estaba ganada; era cosa resuelta ya, cuando llegó aquella comunicación, que era una conminación en el fondo: la

Iglesia hablaba por boca de su mayor representante, y había que doblegarse.

Uno a uno fueron levantándose los consejeros, al pedirles su parecer el Gobernador, y al saludarle, para marcharse, no hubo ya discrepancia: —¡Que se cumpla la ley!—repitieron uno tras otro, y la ley fué: el Obispo Sarmiento condenaba a muerte a las indias prisioneras.

—Señor Alcalde—dijo el Gobernador—, preparad la ejecución para mañana; daré las órdenes oportunas para que revista inusitada solemnidad.—Y añadió: —Pasemos a refrescar el alma departiendo con doña Guiomar.—Y el Gobernador, al dejar el salón de sesiones, encaminó sus pasos hacia la morada de la viuda de Paz.

La ansiedad de doña Guiomar para conferenciar con el Gobernador tenía por objeto el inclinarle a la clemencia con las mujeres. —¡Porque ved que son mujeres esas pobres indias!—le repetía a Guzmán, al darle éste cuenta de la prisión de las indias, y al escuchar la fatal sentencia, sentencia que debía llevarse a cabo al siguiente día, y que el Obispo Sarmiento era el responsable de ello, sintió una ráfaga de cólera, lanzaron sus ojos chispas de odio, y con intensa amargura exclamó: —¡No en vano le odiaba yo tanto!—Y la sonrisa huyó de sus labios.

—Señor Gobernador—y le tomó ambas manos en ademán de súplica, embargada la voz por los sollozos—: una de esas infelices trae una hija de cuatro años, según dicen. ¡Dádmela! ¡Salvad siquiera a esa niña! La criaré cristianamente; la haré mi hija...! ¿Me lo prometéis?—Y sus ojos se llenaron de lágrimas.

—Doña Guiomar, contad con ella, ¡y que Dios os premie vuestra buena acción!—Y marchóse conmovido el hombre de hierro, murmurando: —¡Qué diferencia entre esta mujer y aquéllos!—Y señaló hacia el Palacio Episcopal.

Doña Guiomar, sola, sentada en el sillón, llamó a su india Rosario, como si necesitara de algún ser inocente junto a ella, para alivio de su quebranto. La chiquilla se arrodilló a sus plantas, y al ver que corrían lágrimas por las mejillas de su señora, que no reía, que murmuraba con dolor: —¡Jesús, Jesús!—dió rienda suelta inconscientemente a sus sentimientos, y lloró con ella también.

XV

Fué un día solemne aquel en que había de presenciarse en la ciudad, por vez primera, una formal ejecución de justicia. Se había hablado, y se hablaba frecuentemente, de los suplicios que se aplicaban en los campos, sólo de oídas conocidos en la población; aún se horripilaban algunos al recuerdo de Hatuey, el cacique, quemado vivo por el adelantado Diego Velázquez; pero nada de esto había sido realizado a la vista de todo un pueblo.

Triste y encapotado amaneció el día, como triste estaba el corazón de la generalidad; un buen número se alegraba y sentía complacencia por el inusitado espectáculo, y entre la turba de corazón endurecido se cruzaban abominables cuchufletas, y se hacían muecas alusivas a las que habían de contraer el rostro de las pobres ajusticiadas, en el trance final. Era un sainete divertido, para los que tenían perdida totalmente la sensibilidad, lo que se iba a presenciar. Aprestábanse para deleitarse mirando "las *guindillas de cobre* balanceándose en el aire".—"Buena hornada para el diablo. ¡Cinco hembras de golpe!"—decía uno.—"¿Las vestirán?"—inquiría otro.—"¡Puah! ¡Valientes hembras! ¡Qué porquería!"—se escuchaba en otro grupo.—"¡Si te las dieran!"—replicaba un soldado, y repetía uno de más allá: —"¡Si son viejas! y... si todo lo tienen perdido!"—"¡Veamos los faroles sin luz!"—agregaba otro de más acá. Y la chusma de presidiarios y aventureros fué tomando puesto en la Plaza de Armas, lugar donde había de llevarse a cabo la ejecución.

Era aquella tragedia una fiesta para la mayoría malvada; los dolores y las miserias eran elementos predominantes en la vida natural del conquistador; el sentimiento de humanidad hubiera causado risa, si de él se hubiese tratado; un fray Bartolomé de las Casas era solamente un loco visionario, y Santiago, ciudad de pocas diversiones, ciudad de aburrimiento y sin otro placer que buscar el oro con afán, y jugarlo luego al azar, apenas encontrado, se regocijaba de romper su habitual quietud. A fuerza de ser crueles los conquistadores con el indio, el sacrificio aparatoso de cinco indias se convertía en una *juerga* sensacional, y pasó a ser aquella *fiesta* algo tan importante como el arribo de un buque de la Península, que era motivo más que suficiente para librar a los habitantes, siquiera por unas horas, de su vida monótona y fastidiosa.

Preparáronse para el espectáculo con el mismo entusiasmo con que marcharían en busca del filón de oro de una mina. Gozábanse con lo que iban a presenciar cual un delicioso pasatiempo, como pasatiempo era, para ellos, golpear cruelmente al indio, al notar que no extraía nada de una veta de mineral agotada por completo. Y era de ver entonces al trabajador vengarse de su amo, gozando, a su vez, con hacer abortar los proyectos del infame explotador, al suicidarse con su familia entera, huyendo así de la ambición brutal y sin límites de aquellos aventureros desalmados.

La ejecución estaba señalada para las ocho de la mañana, y desde una hora antes ya iban llegando los dueños de encomiendas, con sus indios de ambos sexos, y hasta con los niños que podían andar; iban colocándolos en dos filas, próximas a las dos horcas; los negros africanos esclavos acudían también, y eran colocados de la misma manera, para que el ejemplar castigo influyera en ellos del mismo modo que en los indígnas. Un pelotón de presidiarios ocupó lugar, con sus cabos de vara, cerca de una compañía de soldados armados de picas y arcabuces, y junto a éstos, la chusma de Juan el cantinero, Perete, Gaínza y otros. En el puesto de honor, dando espaldas al Sol, que no se dejaba ver en aquella mañana siniestra, se situarían el Gobernador Gonzalo Nuño de Guzmán, el Alcalde Bartolomé de Ortiz, los tenientes Francisco Perea y Juan de Aguilar, y no faltaron el Procurador de la ciudad, Diego de Soto, y regidores y personajes como Guzmán, Velázquez, Hurtado, Parada, Castro y cuantos no podían faltar para, con su presencia, hacer solemne el acto como el más solemne auto de fe. Si quedaba relegado el fuego para una mejor ocasión, hoy la cuerda bastaba para lanzar las víctimas a la eternidad con más presteza, aunque fuese con menor dolor. No se veía una mujer libre por aquellos contornos: el alma femenina conservaba aún, en medio de tantos horrores, un caudal de compasión y ternura.

Cuatro horcones clavados en el pequeño cerro situado ante el Palacio del Ayuntamiento, cárcel al mismo tiempo, al costado de la Catedral, constituían el patíbulo. A esos horconos estaban atados fuertemente otros dos como travesaños, y para que no se vinieran abajo las horcas, apuntaladas estaban con otros maderos que las hacían más resistentes al peso de los cuerpos. Cinco eran las víctimas, y encaramado en tosca escalera, el negro que actuaba de verdugo, un robusto lucumí, había ido atando por adelantado, bien aseguradas, las cinco cuerdas, de torcida majagua, midiéndolas de modo que la víctima colgase a corta distancia del suelo sin que le arrastraran los pies después de ejecutada. Todo estaba previsto y listo para el acto, y el forzado ejecutor de la Justicia aguardaba tranquilamente el momento de ganarse dos ducados, que era lo que habían de pagarle por la obra de ajusticiar a cada una india.

La campana de la Catedral, desde al alborear, no había cesado en sus toques de agonía, los cuales fueron apagados momentáneamente un breve instante por el toque de una corneta, señal de que el Gobernador llegaba. La puerta de la cárcel abrióse de golpe, de par en par, y como un rebaño apeñuscado, salieron en montón, empujadas, las cinco prisioneras, atados los brazos por sobre el codo. Las custodiaban soldados armados de alabardas; cuatro de ellas iban agrupadas, sin mostrar valor ni cobardía, e indiferentes al clérigo que les hablaba de lo que no entendían, sonreían, miraban a todos lados, recreando la vista ante un paisaje no recordado en su apacible existencia. Detrás de éstas, otra, sola, erguida, desafiando con los ojos a la muchedumbre, fijando la mirada dura y atrevidamente en cada uno de los que la miraban al pasar, marchaba triunfalmente la postrera en el grupo. —¡Es Casiguaya, la mujer del cacique Guamá!—se oyó decir en la fila de los indios, recorriéndoles un estremecimiento de vergüenza que les forzó a bajar la cabeza. Todas iban completamente desnudas; el barro del camino, seco y adherido a sus cuerpos, al descansar en la Cárcel, embadurnaba el color cobrizo, empañando el bruñido de la piel. Con Casiguaya se esmeraba fray Pedro Trillo con especial empeño. Se sabía quién era; su manifiesto valor despreciativo merecía el esfuerzo de conquistar su alma; su superioridad sobre las demás lo exigía, y el respeto y la sumisión que las otras indias le mostraban acrecían el deseo de dominarla. La misma rebeldía de carácter, tan a las claras manifestada, y la orden dada a sus compañeras, al salir de la cárcel, previniéndolas con acento imperioso: —*¡Manicato!* (*)—y el responder *¡Manicato!*, en coro todas, entonando luego un cantar a Cemí, con unción desesperante para los que querían ayudarlas a bien morir cristianamente, demostraban que había realeza de sangre y sobera-

(*) *Bravura, ánimo,* en siboney.

nas energías en la mujer del cacique, persistiendo en ella la autoridad de su rango hasta el postrer instante de su vida, a pesar de la esclavitud y del suplicio.

Suelta, detrás de Casiguaya, iba la indiecita de cuatro años, apegada a sus piernas, sin darse cuenta de a dónde la llevaban ni lo que iba a presenciar; pero, como india, al fin, impasible, con el alma de su raza. De cuando en cuando, volvía la cabeza la madre, y la envolvía en una mirada de amor y de congoja al mismo tiempo.

Llegóse, por fin, al pie del patíbulo; las cornetas dieron vibrantes notas de atención, y todos fijaron los ojos en los maderos patibularios.

—¡Dejad ésta para la última!—dijo el padre Trillo con imperioso acento.

Casiguaya continuó atenta a sus compañeras, animando a cada una al ser presa por el ejecutor, repitiéndoles: —*¡Manicato!*—y *¡Manicato!* siguieron profiriendo al ser entregadas al verdugo por dos presidiarios, ayudantes del ejecutor. Las víctimas tendían el cuello al lazo ya preparado, y, alzadas por los presidiarios, ajustado el dogal e impulsado el cuerpo, cada india fué balanceándose con movimiento rítmico de péndulo, de vaivén en vaivén, y con ligeros estremecimientos de corta agonía, rendían, por fin, la triste existencia.

La palabra —*¡Manicato!*—continuaba resonando en la plaza, en son de desafío al silencio de la multitud, y esa palabra, en boca de Casiguaya, era un verdadero reto de aquellas almas indomables que abandonaban, alegres, el mísero cuerpo, en busca de los espacios infinitos. El coro fué disminuyendo de voces a cada ejecución, hasta cesar el canto por completo, al marcharse la última, quien partió haciendo una sumisa reverencia a la mujer de Guamá.

—A ti, ahora—dijeron los presidiarios, agarrando cada uno un brazo de Casiguaya.

—¡Aguardad!—les respondió altiva, y dirigiéndose al padre Trillo, que, cerca de ella, la exhortaba para que aceptase la fe católica, le habló de esta manera: —¿Tú me hablas de tu Dios; tú me dices que me encontraré con él en otro mundo mejor, si yo lo tomo por mi Dios?

—Sí. Cree en su Divino Hijo, que es éste—y le presentó una cruz de cobre con un Cristo del mismo metal,—y serás salva.

—Dámelo. Creeré en él, y en ti, si me dejas abrazar a mi hija antes..., y me bautizaré..., que no lo estoy.—Y nadie se fijó en la sonrisa burlona que acompañaba a esa frase.

—¡Traedle su hija!—pidió el fraile gozoso por la victoria obtenida, ordenando al mismo tiempo: —¡Desatadla!—e hízola entrega del crucifijo.

Un soldado, que estaba encargado de cuidar a la indiecita, siguiendo las instrucciones del Gobernador, la entregó a fray Pedro, y desató simultáneamente los brazos de Casiguaya.

Al recibir a su hija, la india la atrajo a sí con modulaciones suaves y quejumbrosas de tórtola herida; puso sus labios en la frente de la criatura, inclinándose hasta ésta en cuclillas, y pareció bendecirla colocando ambas manos sobre la cabeza de la niña. Apartóla luego de sí, miróla larga y fijamente, hablóla quedo, con acento tan leve, que sólo los oídos de la indiecita pudieron percibir y entender aquel susurro... Luego, la cabeza de la niña se inclinó sobre el pecho de la madre, y su boca se posó en aquellos pechos que la habían amamantado, cual si quisiera darles un beso de suprema y eterna despedida. Entonces puso Casiguaya sus manos alrededor de la garganta de la indiecita, como en postrer caricia, y allí las tuvo estrechamente unidas un largo rato. El padre Trillo, en tanto, clavando los ojos en el cielo, oraba por la salvación de aquella alma, que creía suya, y pedía para ella todas las bienandanzas de la Gloria.

De pronto, Casiguaya, cual fiera al lanzarse sobre la presa, se estremece, pónese de pie; no suelta a su hija, que lleva de las manos, siempre sujeta por el cuello; exhala un grito conmovedor, grito de rabia, de desprecio, de guerra, de victoria, y exclama con voz estridente: —*¡Manicato!*,—grito que resuena como un sarcasmo lanzado a la multitud que la mira, y arrojando el cuerpo frío de su hija, estrangulada por sus propias manos, a los pies de la muchedumbre, lanza con violencia a fray Pedro Trillo el crucifijo, como si fuera una flecha; hiere al fraile en el rostro, precipítase a la horca, da un salto, y antes de que se la pueda detener, gritando con terrible burla: —¡Malditos! ¡Ni hija ni esposa de Guamá serán esclavas de cristianos!,—brinca a la cuerda, introduce la cabeza en el dogal, se deja caer, y se columpia, ahorcada por ella misma.

En tanto, fray Pedro, absorto por lo repentino de la acción, por la violencia del golpe, de cuya herida en la frente brotan gotas de sangre, purpúreo de cólera, haciendo signos al aire con la mano derecha, con movimiento consecutivo y febril, grita con la garganta ronca por el despecho: —¡Anatema!

Ante lo súbito y estupendo del hecho, quedó suspensa la multitud; apartáronse, silenciosos, autoridades, soldados y presidiarios; el público de aventureros calló también; se retiraron, sin murmurar, indios y negros, y, con dolor en unos, y confusión en todos, quedó en la atmósfera de la colonia, durante mucho tiempo, el recuerdo estremecedor de la mujer de Guamá, el de los cuerpos de las indias ejecutadas, con su acompasado balanceo y sus últimos estertores, y el de la indiecita estrangulada por su propia madre, sospechando, tal vez, aquellos corazones de granito que, en esta ocasión, eran las víctimas los victoriosos y no ellos, los férreos colonizadores de la virgen Cuba.

La fatal noticia llevósela Perete a doña Guiomar. Hernando había huído a los bosques, para no conocer del suceso, y el soldado, con su rudeza natural, contó minuciosamente el hecho sublime de una madre que mata a su hija para hacerla libre.

—¡Vete!—exclamó horrorizada doña Guiomar; salió el soldado, y la generosa andaluza sintió rompérsele el corazón, tembló horrorizada, y sus ideas religiosas y su amor a la Patria le parecieron pequeños ante la acción de Casiguaya; se acoquinó por los suyos con motivo de aquel crimen, so capa de justicia humana, ejecutada, por vez primera, en una ciudad colonial, en débiles mujeres, por soldados aguerridos, en nombre del Rey y de la Religión. Turbada su mente de manera atroz, cayó de rodillas ante la imagen colgada en la pared de su habitación, entrelazó los dedos desesperadamente, y dió rienda suelta a sus sollozos, diciendo con fervor: —¡Virgen del Carmen, ampáranos! ¡Perdón, perdón, para nosotros!

Y durante toda la noche estuvieron despiertos sus indios, que la pasaron llorando en silencio, como no habían llorado jamás.

XVI

Poco a poco fueron disipándose el desasosiego y la impresión amarga que pesaban sobre la colonia por la tragedia de Casiguaya. El padre Trillo y el Obispo Sarmiento desahogaron su despecho en correspondencias a Su Majestad el Rey, culpando, cada uno por su parte, y a su manera, ya a los indios, ya a las autoridades, y quedó más tarde totalmente borrada la visión dolorosa, cuando hubo un acontecimiento que vino a distraer la imaginación con otras peripecias.

Ancló en la bahía un bergantín; súpose que era *El Temerario*, procedente de la Española, y que traía a su bordo a los licenciados don Juan de Avila, nombrado Gobernador, que venía a relevar a Gonzalo Nuño de Guzmán, y don Juan de Vadillo, que llegaba para residenciar a Guzmán. De esta manera, en parte, quedaban cumplidos los deseos y los informes que el Obispo Sarmiento no había cesado de trasmitir a la Audiencia de la Española y a la Real Chancillería de Castilla, contra la entonces primera autoridad de la Isla de Cuba.

Con rumbo a La Vana (*) siguió *El Temerario*, llevando a su bordo al exgobernador Guzmán, y

---

(*) Escribíase y pronunciábase así, en aquella época, el nombre que después fué la Habana.

con éste a fray Miguel Ramírez, que el primero juzgó prudente no dejar tras sí, pues, si bien resentido contra el Obispo Sarmiento, hubiera sido ello sabrosa venganza, su fidelidad al Rey le prohibía fomentar discordias que habían de redundar en contra del Real Servicio y, por lo tanto, de la tranquilidad de los Reinos de Su Majestad.

Al despedirse Guzmán de doña Guiomar, le recomendó la mayor cautela, porque el Obispo Sarmiento iba adquiriendo favor en la Corte y en las Reales Chancillerías, las cuales habían hecho más caso de los dicterios de un fraile iracundo, ambicioso y grosero, que de las razones de un soldado que, con sus hazañas y su sangre, había sellado su amor a su Rey y a la Religión. —Contad conmigo en la Corte, en donde me hallaré en no lejanos días— dijo el exgobernador a su buena amiga.

Doña Guiomar se conformó con desearle que pudiera esclarecer, con pruebas testificales, su buen gobierno, que eso debía ser su principal empeño por la propia honra, y le dijo adiós con estas últimas palabras: —Me conocéis y sabéis que no temo; soy mujer.—Y agregó con triste sonrisa: —Y conocéis también cuáles han sido las miras de Sarmiento, y el por qué de su inquina en contra mía. ¡Si llegare a propasarse... le haré sentir quién soy yo... o lo que valgo!

—Andad con cuidado, doña Guiomar, que el fraile (aquí muy en confianza) es traidor y un gran solapado; que Dios os guarde y defienda, es cuanto, por ahora, puedo y debo desearos.

—Amigo Guzmán, si allá podéis algo, mi única recomendación será ésta: inclinad la balanza en pro de los pobres indios; ayudad con ello a la tenacidad de corazón del buen fray Bartolomé: será servicio a favor de Dios y del Rey. ¡Dejadme a mí batallar valientemente por mi cuenta, que... tengo arma guardada para aplastar al enemigo!

Días después, otra carabela llegada de la Española, con instrucciones de la Real Audiencia, retornaba llevando para aquella Isla comunicaciones que debían ser trasmitidas urgentemente a la Real Chancillería, y en las cuales reflejaba, cada uno de aquellos personajes sus opiniones y sus disidencias, y se leían frases tan edificantes como éstas, crudamente descriptivas del estado triste de la Isla y del encono de los ánimos.

Decía Gonzalo Nuño de Guzmán: "Cumplióse lo que Su Majestad mandó, que nadie tuviera más de trescientos indios. Sólo tocó a Andrés de Duero (difunto) y a Manuel Rojas, teniente de Gobernador que ha sido de la Isla, el cual ha tratado tan bien a los indios encomendados, que se han aumentado en su poder, único ejemplo desto por nuestros pecados... Debería señalarse premio al que así hiciere."

"Hay salud en la Isla, y ha estado pacífica hasta dos meses a esta parte, que se han alzado 30 o 40 indios en los términos de la villa del Bayamo y... muerto siete cristianos y algunos indios de paz; siempre ha habido cuadrillas, por la Isla, de españoles, para andar sobre dichos indios, sin más salario que darles por esclavos los que tomaren."

"Irán en el primer navío para Sevilla indios mochados."

"La villa de la Asunción de Baracoa, primer puerto de Cuba, hecho entre sierras agrísimas y en costa de mar muy brava, deshágase, porque no puede sustentarse allí sino con sangre..."

Y en su carta, decía Rojas, a su vez, lo siguiente: —"... parece que convenía que la dicha experiencia se tornase a hacer por la orden que arriba dije. Pero cuanto lo que toca a los dichos indios, también creo que hará poco fruto, según la enemistad que esta gente tiene con la gente española, por el mal tratamiento que siempre les hemos fecho, también por sus culpas como por las nuestras. Porque la verdad es, que siendo los indios bien tratados de sus dueños, y aun medianamente, son tan amigos de sus casas y naturalezas como nosotros."

Y volvía a añadir Hurtado: —"Hay cinco meses que llegué a esta ciudad. No fío hayan ido mis cartas porque suelen tomarlas aquí las justicias. De los indios que Vuestra Majestad me mandó dar, sólo me dieron un cacique con 70 personas, y destas saca el teniente las que quiere para otros. Yo muero de hambre. El teniente tiene dos escribanos de su mano, y con ellos enviará cuantas informaciones quisiere."

"Venga contador de cuenta, porque este teniente se casó con la que fué mujer de aquél y se tiene sus bienes, y como mis compañeros están castigados del, no se hace la cuenta."

"No hay quien hable sino yo, y por eso, y darme

priesa en la cobranza de lo que se debe a Vuestra Majestad, me tiene odio.''

''Y como el Obispo y él son uno, me tiene el Obispo igual enemistad, y aun mayor, porque le contradigo.''

''Gonzalo de Guzmán ha injuriado mucho al Contador y Factor porque querían avaluase a menos precio ciertos mantenimientos y mercaderías que querían tomar para sí. Por haber casado con la viuda del tesorero Pedro Núñez, se entró en todos sus bienes y sus indios de que Vuestra Majestad me hizo merced.''

''El Obispo es muy aficionado a atesorar.''

''El da los indios vacos a parientes y paniaguados, y se toma para sí lo mejor.''

Pero Nuño de Guzmán escribía por su parte: —''Provisor y mayordomo del Obispo nos dieron cédula para que les paguemos diezmos de las granjerías de Vuestra Altetza. Dudamos, porque hay aquí varios comendadores de órdenes militares que no los pagan, y Vuestra Majestad es maestre de las órdenes.''

Y se refiere también a que: —"Porcallo de Figueroa, natural de Cáceres, de 28 años, da de puñaladas a Hernán López, que, para defenderse de su acometida, sacó la espada; echó presos alcaldes y regidores en la villa de Santa Clara, cortó los compañones de los indios, se los dió a comer con tierra, y luego los quemó...''

Y en otra comunicación repetía Rojas: —''La disposición que ha llegado y está la experiencia que

Vuestra Majestad mandó hacer en los indios de esta Isla, desto en lo que toca a la conciencia Real de Vuestra Majestad, y al escrúpulo que cerca dello tiene, también creo que hará poco fruto.''

Y aparte, volvía a repetir Hurtado: —''Los vecinos de esta Isla muchos mueren, otros se van por el poco remedio que en ella tienen. Los indios cada año son menos.''

''Sabrá Vuestra Majestad, por otros, que Gonzalo de Guzmán me prendió, quitó los indios, aprovechándose dellos, sólo por mala voluntad.''

''Anoche prendió al tesorero porque no fuese en esta nao a dar fianza por el oficio, y dar cuenta a Vuestra Majestad de muchas cosas.''

''Estoy aquí con mujer y cuatro hijos.''

''Cuando escribí la anterior, ya era partido el navío. Aguardó a prenderme a aquella hora el Gobernador, maliciosamente, para que sus falsas informaciones fueran sin descargo mío, a fin de destruirme, como lo ha intentado y amenazado, todo porque yo le requiero en lo que cumple a la tierra y a Vuestra Majestad.''

''Al día siguiente que partió el navío me puso en acusación criminal sobre un testimonio de Gonzalo Hernández, escribano de minas, que yo había envuelto oro bajo con fino.''

''Pero Hernández, que fué criado de su mujer, es el instrumento de sus maquinaciones, y siendo un rapaz, tuvo por bastante su testimonio para sobretomar información y afrentarme.''

''Y no embargante que he demostrado muy eficazmente mi inocencia, no ha querido darme libertad, ni dejarme usar mi oficio, ni pienso lo hará mientras sea juez.''

''Pido justicia y el amparo de Vuestra Majestad contra este inmortal enemigo, el cual hace lo que quiere de hecho por sus cuñados y allegados de que está llena esta Isla.''

El Obispo fray Diego Sarmiento comunica, por su cuenta, que: —''Según va creciendo la malicia destos indios, tenemos temor, que podría participarse este daño entre los esclavos negros, lo que sería muy dificultoso, y para esto sería muy gran remedio que se trujesen muchas esclavas negras, con las cuales ellos asegurarán mucho y sirven mejor.''

Y de la derrota y muerte de Guamá se escribe: —''Se hizo una cuadrilla de hasta 24 indios y algunos escogidos por buenos de algunos pueblos de los vecinos de esta ciudad, a los cuales se les dió todo lo necesario para la guerra e señaló partido que ganasen cada mes. Estos fueron rastreando e *bojeando* la Isla, dieron en el rancho donde estaban acogidos en unas ásperas tierras, todos los indios alzados, con los que tuvieron recia pelea, en la cual mataron diez y seis hombres e prendieron otros tantos hombres e mujeres, y otros se les fueron, e quemáronles sus ranchos. E allí murió el capitán de esta cuadrilla, e eligió otro, su pariente, el cual trajo a esta ciudad la presa e se hizo justicia dello. A todos los de esta cuadrilla se les hizo mucha honra e pagó muy bien su trabajo, de lo cual quedan muy contentos.''

En tanto, en otro escrito, el Obispo fray Diego Sarmiento, después de una larga y minuciosa información, desahogaba su bilis contra doña Guiomar acusándola de —"... disoluciones, hechicerías y otros pecados públicos."

Y el licenciado don Luis de Vadillo, en el atestado de residencia al Gobernador Gonzalo Nuño de Guzmán, le acusaba, entre otras cosas, de: —"...consentir pecados públicos, blasfemos, jugadores, amancebados, no cumpliendo providencias ni cédulas, recibiendo dádivas, fué parcial, echó sisas y repartimientos."

Y luego, en una comunicación de otro personaje, se añadía, refiriéndose al Obispo Sarmiento: —"Como fué provisto de Inquisidor, se hace dueño de todo, hasta de las mujeres que son de buen parecer, por manera que a esta causa se han ido de la ciudad dos casados."

Y la carabela, con sus velas infladas, rumbo a España, tocando en la Española, llevaba en sus bodegas, además del oro extraído de las minas, a costa de la vida de los indios sacrificados en el laboreo, muchas más comunicaciones, preñadas de noticias, en las cuales se daba cuenta a Su Majestad el Rey del estado crítico de la capital de la Fernandina. Y aquellos pliegos, llenos de garabatos, iban repletos de chismes, de quejas, de discordias, de rencores, de calumnias y de odios de los conquistadores entre sí; malquerencia y aversión en un haz de hermosa conjunción de opiniones contradictorias de los fieles servidores del

Rey y la Religión, en aquel Nuevo Mundo apenas naciente, arrancado al misterio de los mares por la fortuna o por el genio de un atrevido navegante.

FIN DEL TOMO PRIMERO